БОЛЬШОЙ
РОМАН

Джулиан Барнс

ШУМ ВРЕМЕНИ

Издательство «Иностранка»
МОСКВА

УДК 821.111
ББК 84(4Вел)-44
Б 25

Перевод с английского Елены Петровой

Оформление обложки Вадима Пожидаева

Издание подготовлено при участии издательства «Азбука».

Барнс Дж.

Б 25 Шум времени : роман / Джулиан Барнс ; пер. с англ. Е. Петровой. — М. : Иностранка, Азбука-Аттикус, 2016. — 288 с. — (Большой роман).

ISBN 978-5-389-11684-9

«Не просто роман о музыке, но музыкальный роман. История изложена в трех частях, сливающихся, как трезвучие» *(The Times)*.

Впервые на русском — новейшее сочинение прославленного Джулиана Барнса, лауреата Букеровской премии, одного из самых ярких и оригинальных прозаиков современной Британии, автора таких международных бестселлеров, как «Англия, Англия», «Попугай Флобера», «Любовь и так далее», «Предчувствие конца» и многих других. На этот раз «однозначно самый изящный стилист и самый непредсказуемый мастер всех мыслимых литературных форм» обращается к жизни Дмитрия Шостаковича, причем в юбилейный год: в сентябре 2016-го весь мир будет отмечать 110 лет со дня рождения великого русского композитора. Впрочем, написание беллетризованной биографии волнует Барнса меньше всего, и метит он гораздо выше: имея как художник лицензию на любые фантазии, влюбленный в русскую литературу и отлично владея контекстом, он выстраивает свое сооружение на зыбкой почве советской истории, полной умолчания и полуправд...

УДК 821.111
ББК 84(4Вел)-44

ISBN 978-5-389-11684-9

Роман великий в буквальном смысле слова, доподлинный шедевр от автора удостоенного Букеровской премии «Предчувствия конца». Казалось бы, прочел и не так много страниц — а будто прожил целую жизнь.

The Guardian

В Великобритании гремит новая книга Джулиана Барнса, посвященная Шостаковичу и его жизни в эпохи террора и оттепели. Но амбиции Барнса, конечно, выше, чем сочинение беллетризованной биографии великого композитора в год его юбилея. Барнс лишь играет в осведомленного биографа, и зыбкая почва советской истории, во многом состоящей из непроверенной информации и откровенного вранья, подходит для этого как нельзя лучше: правд много, выбирай любую, другой человек по определению — непостижимая тайна.

Тем более что случай Шостаковича — особенный: Барнс во многом опирается на скандальное «Свидетельство» Соломона Волкова, которому композитор свои мемуары то ли надиктовал, то ли надиктовал отчасти, а то ли вовсе не надиктовывал. Так или иначе, у автора есть лицензия художника на любые фантазии, и возможность залезть в голову придуманного им Шостаковича позволяет Барнсу написать то, что он хочет: величественное размышление о правилах выживания в тоталитарном обществе, о том, как делается искусство, и, конечно, о конформизме.

Барнс, влюбленный в русскую литературу, учивший язык и даже бывавший в СССР, проявляет впечатляющее владение контекстом. На уровне имен, фактов, топонимов — это необходимый минимум, — но не только: в понимании устройства быта, системы отношений, каких-то лингвистических особенностей. Барнс то и дело козыряет фразами вроде «рыбак рыбака видит издалека», «горбатого могила исправит» или «жизнь прожить — не поле перейти» («Живаго» он, конечно, читал внимательно). И когда герой начинает подверстывать к своим рассуждениям стихотворение Евтушенко про Галилея, в этом вдруг чудится не кропотливая подготовка британского интеллектуала, а какое-то совершенно аутентичное прекраснодушие советского интеллигента.

Станислав Зельвенский
(Афиша Daily / Мозг)

Не просто роман о музыке, но музыкальный роман. История изложена в трех частях, сливающихся, как трезвучие.

The Times

Гюстав Флобер умер на 59-м году жизни. В этом возрасте знаменитый писатель Джулиан Барнс, чьим божеством был и остается Флобер, написал роман о том, как Артур Конан Дойль расследует настоящее преступление. Барнсу исполнилось 70 — и он выпустил роман о Шостаковиче. Роман имеет мандельштамовское название — «Шум времени».

Барнс, неустанно возносящий хвалу не только Флоберу, но и русской литературе, намекает в названии сразу на три культурно-исторических уровня. Первый — сам Мандельштам, погибший в лагере через год после 1937-го, когда Шостакович балансировал на краю гибели. Второй — музыка Шостаковича, которую советские упыри обозвали «сумбуром», то есть шумом. Наконец, шум страшного XX века, из которого Шостакович извлекал музыку — и от которого, конечно, пытался бежать.

Кирилл Кобрин
(bbcrussian.com / Книги Лондона)

Роман обманчиво скромного объема... Барнс снова начал с чистого листа.

The Daily Telegraph

Барнс начал свою книгу попыткой некоего нестандартного строения — дал на первых страницах дайджест тем жизни Шостаковича, которые потом всплывают в подробном изложении. Это попытка построить книгу о композиторе именно музыкально, лейтмотивно. Один из таких мотивов — воспоминание о даче родителей Шостаковича, в которой были просторные комнаты, но маленькие окна: произошло как бы смешение двух мер, метров и сантиметров. Так и в позднейшей жизни композитора разворачивается эта тема: громадное дарование, втиснутое в оковы мелочной и враждебной опеки.

И все-таки Барнс видит своего героя победителем. Сквозной афоризм проходит через книгу: история — это шепот музыки, который заглушает шум времени.

Борис Парамонов
(Радио «Свобода»)

Безусловно один из лучших романов Барнса.

Sunday Times

Это отвечает не только моему эстетическому восприятию, но и моим интересам — дух книги лучше выражать посредством стиля, путем использования определенных оборотов речи, немного странных оборотов, которые подчас могут напоминать переводной текст. Именно это, по-моему, дает читателю чувство времени и места. Мне не хочется писать нечто вроде «он прошел по такой-то улице, свернул налево и увидел напротив знаменитую старую кондитерскую или что-то там еще». Я не создаю атмосферу времени и места таким образом. Уверен, что гораздо лучше делать это посредством прозы. Любой читатель способен понять, о чем идет речь, смысл совершенно ясен, однако формулировки чуть отличаются от привычных, и вы думаете: «Да, я сейчас в России». По крайней мере, я очень надеюсь, что вы это почувствуете.

Джулиан Барнс

В своем поколении писателей Барнс однозначно самый изящный стилист и самый непредсказуемый мастер всех мыслимых литературных форм.

The Scotsman

Посвящается Пат

Кому слушать,
Кому на ус мотать,
А кому горькую пить.

Дело было в разгар войны, на полустанке, плоском и пыльном, как бескрайняя равнина вокруг. Ленивый поезд два дня как отбыл из Москвы направлением на восток; оставалось еще двое-трое суток пути — в зависимости от наличия угля и от переброски войск. С рассветом вдоль состава уже двинулся какой-то мужичок: можно сказать, ополовиненный, на низкой тележке с деревянными колесами. Чтобы управлять этой приспособой, нужно было разворачивать, куда требовалось, передний край; а чтобы не соскальзывать, инвалид вставил в шлейки брюк веревку, пропущенную под рамой тележки. Кисти рук были обмотаны почерневшими тряпками, а кожа задубела, покуда он побирался на улицах и вокзалах.

Отец его прошел империалистическую. С благословения сельского батюшки отправился сражаться за царя и отечество. А когда вернулся, ни батюшки, ни царя уже не застал, да и отечества было не узнать.

Жена заголосила, увидев, что сделала война с ее мужем. Война-то была другая, да враги прежние, разве что имена поменялись, причем с двух сторон. А в остальном — на войне как на войне: молодых парней отправляли сперва под вражеский огонь, а потом к коновалам-хирургам. Ноги ему оттяпали в военно-полевом госпитале, среди бурелома. Все жертвы, как и в прошлую войну, оправдывались великой целью. Да только ему от этого не легче. Пусть другие языками чешут, а у него своя забота: день до вечера протянуть. Он превратился в спеца по выживанию. Ниже определенной черты такая судьба ждет всех мужиков: становиться спецами по выживанию.

На перрон сошла горстка пассажиров — глотнуть пыльного воздуха; остальные маячили за окнами вагонов. У поезда нищий обычно заводил разухабистую вагонную песню. Авось кто-нибудь да бросит копейку-другую в благодарность за развлечение, а кому не по нутру — тоже денежку дадут, лишь бы поскорей дальше проезжал. Иные исхитрялись монеты на ребро бросать, чтобы поглумиться, когда он, отталкиваясь кулаками от бетонной платформы, вдогонку пускался. Тогда другие пассажиры обычно аккуратнее подавали — кто из жалости, кто со стыда. Он видел только рукава, пальцы и мелочь, а слушать не слушал. Сам он был из тех, кто горькую пьет.

Двое попутчиков, ехавших в мягком вагоне, стояли у окна и гадали, где сейчас находятся и долго ли тут проторчат: пару минут, пару ча-

сов или же сутки. Никаких объявлений по трансляции не передавали, а интересоваться — себе дороже. Будь ты хоть трижды пассажир, а как станешь задавать вопросы о движении поездов — того и гляди примут за вредителя. Обоим было за тридцать — в таком возрасте уже крепко затвержены кое-какие уроки. Сухощавый, весь на нервах очкарик, из тех, которые слушают, обвешал себя чесночными дольками на нитках. Имени его попутчика история не сохранила; этот был из тех, которые на ус мотают.

К их вагону, дребезжа, близилась тележка с ополовиненным нищим. Тот горланил лихие куплеты про деревенские непотребства. Остановившись под окном, жестами попросил подать на пропитание. В ответ очкарик поднял перед собой бутылку водки. Из вежливости уточнить решил. Только слыханное ли дело, чтобы нищий выпить отказался? Не прошло и минуты, как те двое спустились к нему на перрон.

То бишь выдалась возможность сообразить на троих. Очкарик по-прежнему держал бутылку, а его спутник три стакана вынес. Налили, да както не поровну; пассажиры нагнулись и произнесли, как положено, «будем здоровы». Чокнулись; нервный худеряга склонил голову набок, отчего в стеклах очков на миг полыхнуло восходящее солнце, и что-то прошептал; другой хохотнул. Выпили до дна. Нищий тут же протянул свой стакан, требуя повторить. Собутыльники плеснули ему остатки, потом забрали стаканы и к себе в вагон поднялись. Блаженствуя от тепла, что рас-

текалось по увечному телу, инвалид покатил к следующей кучке пассажиров. К тому времени, когда двое попутчиков обосновались в купе, тот, который услыхал, почти забыл, что сам же и сказал. А тот, который запомнил, только-только стал на ус мотать.

Часть первая

НА ЛЕСТНИЧНОЙ ПЛОЩАДКЕ

Он твердо знал одно: сейчас настали худшие времена.

Битых три часа он томился у лифта. Курил уже пятую папиросу, а мысли блуждали.

Лица, имена, воспоминания: Торфяной брикет — тяжестью на ладони. Над головой бьют крыльями шведские водоплавающие птицы. Подсолнухи, целые поля. Аромат одеколона «Гвоздика». Теплый, сладковатый запах Ниты, уходящей с теннисного корта. Лоб, мокрый от пота, стекающего с мыска волос. Лица, имена.

А еще имена и лица тех, кого уже нет.

Ничто не мешало ему принести из квартиры стул. Но нервы так или иначе не дали бы усидеть на месте. Да и картина была бы довольно вызывающая: человек расположился на стуле в ожидании лифта.

Гром грянул нежданно-негаданно, однако была в этом своя логика. В жизни всегда так. Взять хотя бы влечение к женщине. Накатывает нежданно-негаданно, хотя вполне логично.

Он постарался сосредоточить все мысли на Ните, но они, шумные и назойливые, как мясные мухи, не поддавались. Пикировали, само собой разумеется, на Таню. Потом, жужжа, уносились к той девице, Розалии. Краснел ли он, вспоминая о ней, или же втайне гордился своей шальной выходкой?

Покровительство маршала — оно ведь тоже оказалось неожиданным и вместе с тем вполне логичным. А судьба самого маршала?

Добродушное, бородатое лицо Юргенсена — и тут же воспоминание о суровых, неумолимых маминых пальцах на запястье. И отец, милейший, обаятельный, скромный отец, который стоит у пианино и поет «Отцвели уж давно хризантемы в саду».

В голове — какофония звуков. Отцовский голос; вальсы и польки, сопровождавшие ухаживание за Нитой; четыре фа-диезных вопля заводской сирены; лай бродячих собак, заглушающий робкого фаготиста; разгул ударных и медных духовых под бронированной правительственной ложей.

Эти шумы прервал один, вполне реальный: внезапный механический рык и скрежет лифта. Дернулась нога, опрокинув стоявший рядом чемоданчик. Память вдруг улетучилась, а ее место заполонил страх. Но лифт остановился со щелчком где-то ниже, и умственные способности восстановились. Подняв чемоданчик, он ощутил, как внутри мягко сдвинулось содержимое. Отчего мысли тут же метнулись к истории с пижамой Прокофьева.

Нет, не как мясные мухи. Скорее как комары, что роились в Анапе. Облепляли все тело, пили кровь.

Стоя на лестничной площадке, он думал, что властен над своими мыслями. Но позже, в ночном одиночестве, ему показалось, что мысли сами забрали над ним всю власть. И от судеб защиты нет, как сказано у поэта. И от мыслей тоже защиты нет.

Он вспомнил, как мучился от боли в ночь перед операцией аппендицита. Двадцать два раза начиналась рвота; на сестру милосердия обрушились все известные ему бранные слова, а под конец он стал просить знакомого, чтобы тот привел милиционера, способного единым махом положить конец всем мучениям. Пусть с порога меня пристрелит, молил он. Но приятель отказал ему в избавлении.

Сейчас ни приятель, ни милиционер уже не требуются. Доброхотов и так предостаточно.

Если быть точным, заговорил он со своими мыслями, все это началось утром двадцать восьмого января тридцать шестого года на железнодорожной станции в Архангельске. Нет, откликнулись мысли, ничто не начинается таким манером, в конкретный день, в конкретном месте. Начиналось все в разных местах, в разное время, причем зачастую еще до твоего появления на свет, в чужих землях и в чужих умах.

А единожды начавшись, все идет заведенным порядком — и в других землях, и других умах.

Его собственный ум сейчас занимало курево: «Беломор», «Казбек», «Герцеговина Флор». Некто потрошит папиросы, чтобы набить трубку, оставляя на письменном столе россыпь картонных трубочек и клочков бумаги.

Можно ли на нынешней стадии, хотя и запоздало, все поменять, исправить, вернуть на место? Ответ он знал — как сказал доктор на просьбу приставить нос: «Оно, конечно, приставить можно; но я вас уверяю, что это для вас хуже».

Потом на ум пришел Закревский, и сам Большой дом, и кто в нем сменит Закревского. Свято место пусто не бывает. Так уж устроен этот мир, что Закревских в нем — пруд пруди. Вот когда будет построен рай, а уйдет на это почти ровным счетом двести миллиардов лет, нужда в таких Закревских отпадет.

Бывает, что происходящее оказывается за гранью понимания.

Этого не может быть, потому что этого не может быть никогда, как сказал градоначальник при виде жирафы. Ан нет: и может быть, и бывает.

Судьба. Этим величественным словом простонапросто обозначается нечто такое, против чего ты бессилен. Когда жизнь объявляет: «А посему...», ты согласно киваешь, полагая, что с тобой говорит судьба. А посему: назначено ему было зваться Дмитрием Дмитриевичем. И ничего не попишешь. Крестины свои он, естественно, не запомнил, но никогда не сомневался в правдивости семейного предания. Домашние собрались в отцовском кабинете вокруг переносной купели. Прибыл батюшка, спросил родителей, какое они выбрали имя для младенца. Ярослав, отвечали они. Ярослав? Батюшка поморщился. Сказал, что имя чересчур заковыристое. Добавил, что ребенка с таким именем в школе задразнят и заклюют; нет-нет, Ярославом наречь никак не возможно. Отца с матерью озадачил такой неприкрытый отпор, но обижать никого не хотелось. А вы какое имя предлагаете? — спросили они. Да попроще, ответствовал батюшка. К примеру, Дмитрий. Отец указал, что Дмитрием уже зовут его самого и что

«Ярослав Дмитриевич» куда приятней для слуха, нежели «Дмитрий Дмитриевич». Но священник — ни в какую. А посему в мир вошел Дмитрий Дмитриевич.

Да и что в имени? Родился он в Санкт-Петербурге, рос в Петрограде, а вырос в Ленинграде. Или в Санкт-Ленинбурге, как говаривал сам. Так ли уж важно имя?

Ему исполнился тридцать один год. В нескольких метрах от него в квартире спит жена Нита, рядом с нею — Галина, их годовалая дочка. Галя. За последнее время жизнь его, похоже, обрела устойчивость. Эту сторону вещей он как-то не характеризовал напрямую. Ему не чужды сильные эмоции, но выражать их почему-то не получается. Даже на футболе он, в отличие от других болельщиков, почти никогда не горланит, не бузит; его устраивает вполголоса отмечать мастерство — или бездарность — конкретного игрока. Некоторые усматривают в этом типичную чопорность застегнутого на все пуговицы ленинградца, но сам-то он знает, что за этим (или под этим) таятся застенчивость и тревога. Правда, с женщинами он пытается отбросить застенчивость и мечется от нелепой восторженности к отчаянной неуверенности. Как будто невпопад переключает метроном.

И все равно жизнь его в итоге обрела некоторую упорядоченность, а вместе с нею — верный ритм. Правда, сейчас опять вернулась неопределенность. Неопределенность — это эвфемизм, если не хуже.

Стоящий у ноги чемоданчик с самым необходимым напомнил о несостоявшемся уходе из дома. В каком же возрасте это было? Лет в семь-восемь, наверное. А чемоданчик он в тот раз прихватил? Нет, вряд ли — мама бы не позволила. Дело было летом в Ириновке, где отец служил на руководящей должности. А Юргенсен нанялся разнорабочим к ним в дачную усадьбу. Мастерил, чинил, с любым делом справлялся так, что даже ребенку любо-дорого было смотреть. Никогда не поучал, а всего лишь показывал, как из деревяшки получается хоть сабля, хоть свистулька. А однажды принес ему свежий торфяной брикет и дал понюхать.

К Юргенсену он тянулся всей душой. Говорил, обижаясь на кого-нибудь из домашних (а такое случалось нередко): «Ну и ладно, уйду от вас к Юргенсену». Как-то раз, утром, еще не встав с постели, он уже высказал вслух эту угрозу, а может, обещание. Мать не заставила его повторять дважды. Одевайся, приказала она, я тебя отведу. Он не спасовал (нет, собрать вещи не удалось); Софья Васильевна крепко сжала ему запястье и повела через луг в направлении избушки Юргенсена. Поначалу, беспечно вышагивая рядом с мамой, он хорохорился. Но вскоре уже плелся нога за ногу; запястье, а после и ладошка стали высвобождаться из материнских тисков. В ту пору ему казалось, что это *он* вырывается, но теперь стало ясно: мать сама постепенно его отпускала, палец за пальцем, пока не освободила полностью. Освободила не для того, чтобы он ушел к Юргенсену, а чтобы разревелся и бросился назад, к дому.

Руки: одни выскальзывают, другие жадно тянутся. В детстве он боялся мертвецов: вдруг они поднимутся из могил и утянут его в холодный, черный мрак, где глаза и рот забьются землей. Этот страх мало-помалу отступил, потому что руки живых оказались еще страшнее. Петроградские проститутки не считались с его юностью и неискушенностью. Чем труднее времена, тем настырней руки. Так и норовят схватить тебя за причинное место, отобрать еду, лишить друзей, родных, средств к существованию, а то и самой жизни. Почти так же сильно, как проституток, он боялся дворников. И тех — как их ни называй, — кто служит в органах.

Но есть и страх противоположного свойства: страх отпустить руку, которая тебя защищает.

Маршал Тухачевский его защищал. Не один год. Вплоть до того дня, когда — у него на глазах — с маршальского мыска по лбу заструился пот. Эти струйки обмахивал и промокал белоснежный носовой платок, и стало ясно: защита кончилась.

———

Более разносторонних людей, чем маршал, он не припоминал. Тухачевского, знаменитого на всю страну военного теоретика, в газетах величали Красным Наполеоном. Ко всему прочему маршал любил музыку и своими руками изготавливал скрипки, обладал восприимчивым, пытливым умом, охотно рассуждал о литературе. На протяжении десяти лет их знакомства маршал в своем френче то и дело мелькал на улицах Москвы и Ленинграда после наступления темноты: не забывая ни о долге, ни о радостях жизни, успешно совмещал политику и приятное времяпрепровождение, беседовал и спорил, выпивал и закусывал, не скрывал своей слабости к балеринам. Рассказывал, что французы в свое время открыли ему секрет: как пить шампанское, не пьянея.

Перенять этот светский лоск ему не удалось. Самоуверенности не хватало; да и особого желания, как видно, не было. Он не разбирался в тонких деликатесах, быстро хмелел. В студенческие годы, когда все подвергалось переоценке и переработке, а партия еще не забрала полную государственную власть, он, как и большинство студентов, строил из себя философа, не имея на то никаких оснований. Пересмотру неизбежно подвергался и вопрос отношения полов: коль скоро устарелые взгляды были отброшены раз и навсегда, кто-нибудь при каждом удобном случае ссылался на теорию «стакана воды». Интимная близость, вещали молодые умники, подобна стакану воды: чтобы утолить жажду, достаточно выпить воды, а чтобы утолить влечение, достаточно совершить половой акт. В целом такая система не вызывала у него возражений, хотя с необходимостью предполагала ответное желание со стороны девушек. У одних желание возникало, у других нет. Но эта аналогия действовала только в определенных пределах. Стакан воды не доставал до сердца.

А кроме всего прочего, тогда в его жизни еще не появилась Таня.

Когда он ребенком в очередной раз заявлял о своем намерении уйти жить к Юргенсену, родители, по всей видимости, усматривали в этом бунт против жестких рамок семьи, а возможно, даже самого детства.

Теперь, по зрелом размышлении, ему видится другое. Их дачу в Ириновке отличало нечто странное — нечто глубинно неправильное. Как любой ребенок, он ни о чем таком не подозревал, пока ему не объяснили. Только из насмешливых разговоров взрослых он понял, что в этом доме нарушены все пропорции. Помещения огромные, а окна маленькие. На комнату площадью, допустим, в пятьдесят квадратных метров могло приходиться одно-единственное оконце, да и то крошечное. Взрослые считали, что строители дали маху — перепутали метры с сантиметрами. А в результате получился дом, наводивший на ребенка ужас. Как будто эту дачу нарочно придумали для самых жутких снов. Возможно, потому его и тянуло унести оттуда ноги.

Забирали всегда по ночам. А посему, чтобы его не выволокли из квартиры в одной пижаме и не заставили одеваться под презрительно-равнодушным взглядом сотрудника органов, он решил, что будет ложиться спать одетым, поверх одеяла, заранее поставив у кровати собранный чемоданчик. Сна не было; ворочаясь в постели, он рисовал себе самое худшее, что только можно представить. Его тревога передавалась Ните, которая тоже мучилась бессонницей. Оба лежали и притворялись; каждый делал вид, что страх другого не имеет ни звука, ни запаха. А днем его преследовал другой кошмар: вдруг НКВД заберет Галю и определит ее — это в лучшем случае — в детдом для детей врагов народа. Где ей дадут новое имя и новую биографию, вырастят ее образцовым советским человеком, маленьким подсолнухом, который будет поворачиваться вслед за великим солнцем по имени Сталин. Чем маяться от неизбежной бессонницы, лучше ожидать лифта на лестничной площадке. Нита требовала, чтобы все ночи, каждая из которых могла оказаться для них последней, они проводили вместе. Однако это был тот редкий случай, когда в споре он настоял на своем.

Впервые выйдя ночью к лифту, он решил не курить. В чемоданчике лежали три пачки «Казбека» — они, по его мнению, могли пригодиться в ходе допроса. И позже, если отправят в камеру. Первые две ночи он держался. А потом как ударило — вдруг их отберут: что, если в Большой дом с табачными изделиями нельзя? Вдруг допроса вообще не будет или будет совсем краткий? Просто сунут ему лист бумаги и заставят подписать. А вдруг?.. На другое уже не хватало воображения. Только ни в одном из этих случаев папиросы не понадобятся.

А посему причины воздерживаться от курения он не нашел.

А посему закурил.

Он изучал папиросу «Казбек», зажатую в пальцах. Малько однажды благожелательно, нет, пожалуй, даже восхищенно сказал, что у него изящные, «не пианистические» руки. А потом отметил — уже без тени восхищения, — что, дескать, занимается Шостакович недостаточно. Как это понимать — недостаточно? Сколько надо, столько и занимается. А Малько пусть в партитуру смотрит и палочкой машет.

В шестнадцать лет направили его в крымский санаторий, восстанавливать здоровье после туберкулеза. С Таней они оказались ровесниками, вплоть до того, что дата рождения у них совпадала, только с одной небольшой поправкой: у него — двадцать пятое сентября по новому стилю, а у нее — по старому. Такая почти идеальная синхронность появления на свет осеняла их роман; они, можно сказать, были созданы друг для друга. Татьяна Гливенко: коротко стриженные волосы и такая же, как у него, жажда жизни. Это была первая любовь, во всей своей кажущейся простоте и во всей обреченности. Приставленная к нему сестра Маруся наклязничала матери. Софья Васильевна обратной почтой предостерегла сына против связи с этой незнакомкой и, в сущности, против любой связи. В ответ он с апломбом шестнадцатилетнего юнца разъяснил маме принципы Свободной Любви. В том смысле, что у всех должна быть свобода любить, как им вздумается, что плотская любовь недолговечна, что равенство полов не подлежит сомнению, а институт брака следует упразднить, но, пока в реальности брак все же существует, женщина имеет полное право полюбить другого, а если потом захочет уйти к нему, то мужчина обязан дать ей развод и взять вину на себя; и тем не менее, при всем при том, дети — это святое.

На его высокомерную, ханжескую проповедь о жизни мать не ответила. Как бы то ни было, вскоре после знакомства влюбленным пришлось расстаться: Таня вернулась в Москву, а он, под Марусиным конвоем, — в Петроград. Но не переставал писать Тане; они ездили друг к другу в гости; Тане он посвятил свое первое фортепианное трио.

Мать так и не сменила гнев на милость. Потом, три года спустя, он наконец-то провел пару недель на Кавказе вдвоем с Таней, без родственной опеки. Было им по девятнадцать лет; за концерты в Харькове он только что получил гонорар в триста рублей. Отдых в Анапе... кажется, это было давным-давно. Впрочем, так оно и есть: с той поры минула треть его жизни, если не больше.

А посему началось все, если быть точным, 28 января 1936 года в Архангельске. Его пригласили сыграть свой Первый фортепианный концерт с местным оркестром под управлением Виктора Кубацкого, с которым они уже исполняли новую сонату для виолончели. Отыграли хорошо. Утром он пошел на железнодорожную станцию купить свежий номер «Правды». Бегло просмотрел первую полосу, пробежал глазами две другие. Тот день, как говорил впоследствии он сам, был самым памятным в его жизни. Эту дату он решил отмечать ежегодно, до самой смерти.

Одна оговорка, упорствовали его мысли: ничто не начинается точно таким манером. Началось это в разных местах и в разных умах. Истинной отправной точкой послужила его собственная известность. Или его опера. А возможно, в начале был Сталин, который в силу своей непогрешимости мог критиковать и возглавлять все на свете. А возможно, истоки коренились в чем-то примитивном, как, скажем, расположение инструментов симфонического оркестра. В самом-то деле, лучше всего так и считать: композитора сперва заклеймили позором и смешали с грязью, потом арестовали и расстреляли — а все из-за рассадки оркестра.

Если же начиналось все действительно не здесь, а в чужих умах, то виноват, скорее всего, Шекспир, сочинивший «Макбета». Или Лесков, который перенес эту историю на русскую почву под заглавием «Леди Макбет Мценского уезда». Но нет, ничего подобного. Естественно, он сам виноват в создании этого произведения, оскорбительного для народа. А кто виноват, что опера своим успехом — и на родине, и за рубежом — вызвала пристальное внимание Кремля? Да сама же опера и виновата. Виноват и Сталин — не иначе как он инспирировал и одобрил редакционную статью «Правды», а возможно, и написал своей рукой: такой суконный слог подсказывал, что текст вышел из-под пера того, чьи огрехи править немыслимо. Сталин виноват прежде всего в том, что возомнил себя покровителем и знатоком всех искусств. Известно, что он не пропускает ни одного исполнения «Бориса Годунова» в Большом театре. Почти вровень с этой оперой стоят для него «Князь Игорь» и «Садко» Римского-Корсакова. Так почему бы ему было не послушать и новую оперу, «Леди Макбет Мценского уезда»?

А посему композитора обязали присутствовать на спектакле 26 января 1936 года. Ожидалось прибытие товарища Сталина, а также товарищей Молотова, Микояна и Жданова. Все они заняли места в правительственной ложе. Прямо под которой, к несчастью, располагались ударные и медные духовые. Чьи партии в опере «Леди Макбет Мценского уезда» не отличаются благостностью и скромностью.

Он отчетливо помнил, как, сидя в директорской ложе, смотрел на ложу правительственную. Небольшая штора загораживала товарища Сталина, и к этому незримому присутствию подобострастно развернулись высокопоставленные сопровождающие лица, зная, что за ними тоже наблюдают. В такой обстановке и дирижер, и музыканты, самой собой разумеется, нервничали. Во время оркестрового антракта к картине свадьбы Катерины деревянные и медные духовые, будто сговорившись, внезапно заиграли громче, нежели было предусмотрено у него в разметке. И это стало, как вирус, распространяться на другие группы инструментов. Если дирижер что-то и заметил, он оказался бессилен; всякий раз, когда под правительственной ложей грохотало фортиссимо ударных и медных духовых, да так, что едва не вылетали оконные стекла, товарищи Микоян и Жданов нарочито содрогались и, обращаясь к фигуре за шторой, отпускали какие-то насмешливые замечания. Когда в начале четвертого действия публика воззрилась на правительственную ложу, там уже никого не было.

После спектакля он забрал свой портфель и отправился прямиком на Северный вокзал, чтобы ехать в Архангельск. Правительственная ложа, как он помнил, усилена листовой сталью на случай покушения. А вот в директорской ложе такой защиты нет. Ему, между прочим, тогда не исполнилось и тридцати, а жена была на пятом месяце.

Тысяча девятьсот тридцать шестой: високосный год всегда внушал ему суеверный страх. Как и многие другие, он считал, что високосный год приносит несчастье.

Опять зарокотал механизм лифта. Когда стало ясно, что кабина миновала четвертый этаж и едет выше, он поднял с пола чемоданчик. И стал ждать, когда откроются двери, мелькнет суконная гимнастерка, последует кивок узнавания, а потом к нему потянутся руки и чья-то потная пятерня сомкнется у него на запястье. Причем без малейшей необходимости: он же не противится, а, наоборот, спешит увести их подальше от своей квартиры, подальше от жены с дочкой.

Тут открылись двери — и оказалось, что это вернулся домой припозднившийся сосед; последовал кивок узнавания, но совсем иного рода, призванный ничего не выражать, даже удивления от этой ночной встречи. В ответ он тоже склонил голову, зашел в кабину лифта, ткнул в первую попавшуюся кнопку, спустился на пару этажей вниз и, немного выждав, поднялся к себе на пятый, а там шагнул на площадку и продолжил ночное бдение. Такие встречи с соседями, словно под копирку, случались и раньше. Происходили они без слов, потому что в словах таилась опасность. Соседи, вполне возможно, считали, что его ночь за ночью издевательски выгоняет жена или что он сам ночь за ночью робко уходит от жены, чтобы вскоре вернуться. Но весьма вероятно, что со стороны выглядел он самим собой: одним из сотен горожан, что ночь за ночью ожидали ареста.

Много лет, много жизней назад, еще в прошлом столетии, когда его мама училась в Иркутском институте благородных девиц, она вместе с двумя другими воспитанницами танцевала мазурку из «Жизни за царя» в присутствии наследника престола, будущего императора Николая Второго. В Советском Союзе эта опера Глинки, естественно, не исполнялась, хотя ее сюжетная основа — поучительная история о том, как бедный крестьянин жертвует собой ради великого вождя, — пришлась бы, видимо, по вкусу Сталину.

«Мазурка для царя»: интересно, знал ли о ней Закревский. В давние времена случалось, что сын отвечал за грехи отца и даже матери. Нынче в самом передовом обществе на всем земном шаре за грехи молодых порой отвечали родители, и не только они, но еще и дядья, тетки, двоюродные братья и сестры, родня по мужу или жене, сотрудники, знакомые, а то и незнакомец, бездумно улыбнувшийся тебе в три часа ночи при выходе из лифта. Отточенная до совершенства карательная система значительно расширила свой охват.

Брак его родителей держался на матери, точно так же, как на Нине Васильевне держался его с нею брак. Отец, Дмитрий Болеславович, мягкий, душевный человек, много работал и все жалованье приносил в дом, оставляя сущие копейки себе на папиросы. Он обладал прекрасным тенором и любил игру на рояле в четыре руки. Исполнял цыганский репертуар, а также романсы, как, например, «Нет, не тебя так пылко я люблю» и «Отцвели уж давно хризантемы в саду». Обожал всякие безделицы, разные забавы, детективную литературу. Мог часами возиться с новенькой зажигалкой или проволочной головоломкой. С внешним миром соприкасался опосредованно. Каждая книга у него на полках была проштампована специальной лиловой печатью: «Украдено из библиотеки Д. Б. Шостаковича».

Вопрос о Дмитрии Болеславовиче задал ему как-то один психиатр, изучавший процессы творчества. Тогда он ответил, что отец был «совершенно нормальным человеком». Ответил без тени надменности: это ведь завидное качество — быть нормальным человеком и каждое утро просыпаться с улыбкой. При всем том умер отец в расцвете лет: до пятидесяти не дожил. Трагедия для родных, для всех, кто его любил, но для самого Дмитрия Болеславовича, наверное, нет. Проживи он дольше — увидел бы, как загнивает революция, эта параноидная хищница. Впрочем, революция его не особо интересовала. Это, кстати, тоже было одним из отцовских достоинств.

Вдова осталась без средств к существованию, с двумя дочерьми и музыкально одаренным пятнадцатилетним сыном Митей. Софья Васильевна бралась за любую работу, чтобы прокормить детей. Устроилась машинисткой в Палату мер и весов, давала уроки музыки в обмен на продукты. Порой у него возникал вопрос: не начались ли их беды со смертью отца? Но верить в это не хотелось — так недолго и возложить вину на Дмитрия Болеславовича. А посему вернее было сказать, что в тот период все его беды удвоились. Сколько раз он согласно кивал в ответ на сказанные из лучших побуждений слова знакомых: «Ты теперь глава семьи». Эта фраза давила на него непомерным грузом долга и чужих ожиданий. А он, между прочим, всегда был слаб здоровьем: слишком хорошо знал, как прощупывают тело докторские руки, как тебя простукивают и прослушивают, что такое зонд, скальпель, санаторий. Он все ждал, когда же в нем разовьются хваленые мужские качества. Но знал за собой также и то, что легко отвлекается, что капризен и не всегда настойчив. А то бы ушел жить к Юргенсену.

Мама была несгибаемой женщиной, как в силу характера, так и в силу необходимости. Она его берегла, ради него устроилась на службу, возлагала на него все свои надежды. Конечно, он ее любил — а как же иначе? — но тут не обходилось без... трудностей. Сильные обычно идут напролом, а кто послабее — протискиваются боком. Отец, человек бесконфликтный, при столкновениях со своей благоверной и с житейской скверной прибегал к юмору и уклончивости. А посему сын, хотя и считал, что превосходит решимостью Дмитрия Болеславовича, редко шел против материнской воли.

Хотя и знал, что мама читает его дневники. Он выбирал какую-нибудь дату, скажем, за месяц вперед, и вписывал: «Самоубийство». Или: «Женитьба».

Мама тоже знала, чем припугнуть. Всякий раз, когда он порывался уйти из дома, Софья Васильевна говорила близким, причем неизменно в его присутствии: «Только через мой труп».

Ни мать, ни сын не знали наверняка о серьезности намерений друг друга.

———

Еще студентом он, униженный, на грани слез, стоял за кулисами Малого зала консерватории. Первое публичное исполнение его музыки прошло неудачно: слушатели явно отдавали предпочтение сочинениям Шебалина. Слова утешения пришли от возникшего рядом человека в военной форме: так началась дружба с маршалом Тухачевским. Маршал стал его покровителем, организовал для него финансовую поддержку через командующего Ленинградским военным округом. Помогал бескорыстно. А в последнее время рассказывал всем знакомым, что «Леди Макбет Мценского уезда» — это, по его мнению, первое произведение советской оперной классики.

И лишь однажды Тухачевский столкнулся с неподчинением. Когда решил, что для дальнейшей карьеры его подопечного необходим переезд в Москву, и пообещал самолично заняться этим вопросом. Но Софья Васильевна, естественно, воспротивилась: сын был слишком хрупок, слишком слаб здоровьем. Где гарантия, что без материнского догляда он будет пить молоко и есть кашу? За Тухачевским — власть, авторитет, финансовые возможности, но все же ключик от Митиной души хранился у Софьи Васильевны. А посему остался Митя в Ленинграде.

Как и его сестры, за рояль он сел в девятилетнем возрасте. Вот тогда-то мир и обрел для него четкие очертания. По крайней мере, определенный фрагмент этого мира, позволивший ему обеспечить себя до конца своих дней. Понимание рояля и самой музыки пришло к нему довольно легко, не то что понимание других материй. Он напряженно работал, ибо напряженная работа давала ему радость. Значит, планида такая, с годами все более походившая на чудо. Поскольку давала ему средства для содержания мамы и сестер. Человеком он был неординарным; да и весь их домашний уклад был неординарным, но тем не менее. Время от времени, после успешных концертов, довольный аплодисментами и гонорарами, он ощущал, что почти созрел для превращения в этого расплывчатого персонажа: главу семьи. Но бывало и по-другому: покинув родительское гнездо, женившись и став отцом, он нет-нет да и ощущал себя бесприютным ребенком.

Люди, которые не были с ним знакомы и не вдавались в подробности музыкальной жизни, считали, вероятно, что в тот раз его впервые постигла неудача. Что блистательный композитор, сочинивший в двадцать шестом году, еще девятнадцатилетним, свою Первую симфонию, которую тут же приняли Бруно Вальтер, Тосканини, Клемперер, прожил следующие десять лет на волне яркого, ничем не омраченного успеха. И люди такого сорта, убежденные, видимо, что известность зачастую влечет за собой тщеславие и заносчивость, соглашались, открыв свежий номер газеты «Правда», что отдельные композиторы склонны забывать, какой музыки ожидает от них народ. И далее: поскольку все композиторы получают зарплату от государства, то при любом отступничестве государство обязано вмешаться, одернуть зарвавшихся и добиться от них более гармоничного соответствия вкусам публики. Логично, не правда ли?

Но почему-то всегда, с самого начала выискивались те, которые точили когти о его душу: еще в студенческие годы группка ретивых однокашников добивалась, чтобы его сняли со стипендии, а потом и вовсе исключили. Почему-то Российская ассоциация пролетарских музыкантов и ей подобные объединения работников культуры с первых шагов развязывали кампанию против всего, за что ратовал он сам; точнее сказать — против всего, за что, как им грезилось, он ратовал. Они вознамерились разорвать буржуазные оковы искусства. Чтобы воспитывать композиторов из рабочих и чтобы музыка их сразу становилась понятной и близкой массам. Чайковского объявляли упадочническим композитором, а на любые экспериментальные направления навешивали ярлык «формализм».

Почему-то еще в двадцать девятом его официально раскритиковали за «отход от генеральной линии советского искусства» и не дали доучиться. Почему-то в том же самом году арестовали и расстреляли — первым из его друзей и единомышленников — Мишу Квадри, горячего сторонника его Первой симфонии.

Почему-то в тридцать втором году, когда партия распустила все независимые объединения и взяла на себя руководство вопросами культуры, это привело не к обузданию чванства, ханжества и невежества, а к их неуклонному росту. И если планы по превращению рабочего угольной шахты в сочинителя симфоний не вполне увенчались успехом, обратное происходило довольно часто. Считалось, что композитор, подобно шахтеру, обязан выдавать на-гора все больше своей продукции, а музыка его должна согревать сердце, как добытый горняком уголь согревает тело. Производительность творческого труда оценивалась бюрократами так же, как производительность любого другого труда: по выполнению или невыполнению спущенных сверху норм.

На железнодорожной станции в Архангельске, развернув закоченелыми пальцами газету «Правда», он нашел на третьей полосе заголовок, клеймивший позором невыполнение норм: «СУМБУР ВМЕСТО МУЗЫКИ». Сразу пришло решение: домой возвращаться через Москву, где есть возможность кое с кем посоветоваться. В поезде, оставляя позади заснеженные просторы, он перечитал статью раз пять-шесть. Нападки на оперу вначале потрясли его не меньше, чем отношение к его личности: после такого разноса Большой театр неминуемо должен быть снять постановку «Леди Макбет». За минувшие два года опера повсюду находила восторженный прием: от Нью-Йорка до Кливленда, от Швеции до Аргентины. В Москве и Ленинграде ее тепло встретили не только театралы и критики, но и партийно-правительственный аппарат. В ходе Семнадцатого съезда партии постановка была официально причислена к достижениям Москвы и Московской области, что ставило его работу в один ряд с производственными достижениями горняков Донбасса.

Теперь это ровным счетом ничего не значило: оперу пнули, как тявкающую собачонку, внезапно разозлившую хозяина. Попытки трезво проанализировать все составляющие этого разноса приводили к определенным выводам. В первую очередь сам успех оперы, в особенности за рубежом, обернулся против нее. Всего лишь за пару месяцев до этого «Правда» в патриотическом ключе освещала американскую премьеру в Метрополитен-опере. Теперь та же самая газета утверждала, что успех данного произведения Шостаковича за пределами Советского Союза объяснялся лишь тем, что опера «сумбурна и абсолютно аполитична», что она «щекочет извращенные вкусы буржуазной аудитории своей дергающейся, крикливой, неврастенической музыкой».

Далее, и в связи с этим, пошла, как он выражался про себя, критика из правительственной ложи — облеченные в слова ухмылки, зевки и подобострастные развороты в сторону отгороженного шторой Сталина. И вот теперь газета писала, что опера «крякает, ухает, пыхтит, задыхается», что эту «нервозную, судорожную, припадочную музыку» композитор заимствовал у джаза, что «на сцене пение заменено криком». Что опера — совершенно очевидно — слеплена для удовольствия «потерявших здоровый вкус эстетов-формалистов», предпочитающих «нарочито нестройный, сумбурный поток звуков». Либретто, в свою очередь, демонстративно выхватывает из бытовой повести Лескова самые низменные эпизоды;

вследствие этого все получается «грубо, примитивно, вульгарно».

Но грехи его были также политического свойства. Рецензия, написанная анонимным автором, который разбирался в музыке как свинья в апельсинах, пестрела хорошо знакомыми кислотными ярлыками. «Мелкобуржуазный», «формализм», «мейерхольдовщина», «левацкий». Композитор сочинил не оперу, а отрицание оперы, где музыка умышленно сделана «шиворот-навыворот». Она почерпнута из того же ядовитого источника, что и «левацкое уродство в живописи, в поэзии, в педагогике, в науке». Для доходчивости, никогда не лишней, левачество характеризовалось как бесконечно далекое «от подлинного искусства, от подлинной науки, от подлинной литературы».

«Имеющий уши да услышит», нередко повторял он сам. Но даже тот, кто глух, как пень, мог услышать, о чем вещала статья «Сумбур вместо музыки», и предугадать возможные последствия. Три фразы были направлены не столько против его теоретических заблуждений, сколько против него самого. «Композитор, видимо, не поставил перед собой задачи прислушаться к тому, чего ждет, чего ищет в музыке советская аудитория». Тут впору прощаться с членским билетом Союза композиторов. «Опасность такого направления в советской музыке ясна». Тут впору прощаться с сочинительством и концертной деятельностью. И наконец: «Это игра в заумные вещи, которая может кончиться очень плохо». Тут впору прощаться с жизнью.

Однако еще три дня назад он был молод, уверен в своем даровании, благополучен. И если даже у него хромала политическая подкованность — то ли в силу его характера, то ли в силу наследственной предрасположенности, — ему, по крайней мере, было к кому обратиться. Итак, в Москве он первым делом поехал к Платону Михайловичу Керженцеву. Для начала обрисовал ему свой план ответных действий, продуманный еще в поезде: описать разгром оперы, дать аргументированное опровержение критических замечаний и направить письмо в редакцию газеты «Правда». Например... Но Керженцев, всегда интеллигентный и доброжелательный, даже слушать не стал. Речь ведь шла не просто об отрицательной рецензии, подписанной критиком, который меняет свое мнение в зависимости от дня недели или несварения желудка. Речь шла о редакционной статье «Правды»: это не какое-нибудь проходное суждение, которое легко отмести, а политическое заявление, сделанное на самом верху. Можно сказать, священное писание. У Дмитрия Дмитриевича остается единственная возможность: публично покаяться, признать свои ошибки, объяснить такое отступление от генеральной линии безрассудством молодости. Помимо этого, следует декларировать свое твердое намерение погрузиться в песни народов СССР, которые помогут ему переориентироваться на все подлинное, популярное, мелодичное. Согласно Керженцеву, только так Дмитрий Дмитриевич мог бы вернуть себе утраченные позиции.

В Бога он не верит. Однако его крестили по православному обычаю, и время от времени, оказываясь у открытых дверей храма, он заходил поставить свечку за здравие близких. И Библию хорошо знает. Так что идея греха и механизмы его отпущения ему известны. Прегрешение, осознание причиненного зла, исповедь, покаяние, отпущение греха. Бывают, конечно, столь тяжкие грехи, что даже священник не может гарантировать их отпущения. Все это так, но он знал необходимые фразы и уложения, приемлемые для любой конфессии.

Вслед за тем он посетил маршала Тухачевского. Красному Наполеону еще не исполнилось пятидесяти; это был мужчина крутого нрава и приятной наружности, с четко очерченным мыском темных волос. Выслушав своего подопечного, он здраво проанализировал ситуацию и сделал стратегическое предложение, простое, смелое и великодушное. Он, маршал Тухачевский, обратится с ходатайством лично к товарищу Сталину. У Дмитрия Дмитриевича упала гора с плеч. С легким головокружением и легким сердцебиением он наблюдал, как маршал устраивается за письменным столом, как выравнивает приготовленный лист бумаги. Но стоило этому человеку в военной форме взять ручку и начать писать, как с ним произошла разительная перемена. Его прошиб пот, который струился от мыска темных волос по лбу, а сзади от шеи — за ворот. Одна рука суетливо промокала лицо носовым платком, другая, запинаясь, водила пером по бумаге. Такое немаршальское волнение сильно обескураживало.

В Анапе с них тоже катился пот. Крым плавился от зноя, а он плохо переносил жару. Они полюбовались пляжем «Малая бухта», но у него даже не возникло мысли окунуться. Во время прогулки по тенистой роще над городом его искусали комары. Потом их с Таней окружила и чуть-чуть не загрызла свора диких собак. Ну ничего, обошлось. Они вышли к маяку, и пока Таня стояла, запрокинув голову, он неотрывно разглядывал милую складочку кожи у основания ее шеи. Они побывали у древних каменных ворот, сохранившихся от османской крепости, а он думал лишь о том, как напрягаются при ходьбе Танины икры. В течение этих двух недель жизнь его полнилась только любовью, музыкой и тучами комаров. Любовь — в сердце, музыка — в голове, комариные укусы — на коже. Без насекомых не обходится даже в райских кущах. Но он не держал на них зла. Они ловко выбирали места, до которых самому не дотянуться; от укусов спасал одеколон «Гвоздика», содержащий цветочные экстракты. Если Таня прикасалась к его коже, завидев комара, и оставляла на ней запах гвоздики, мыслимо ли было злиться на какого-то кровососа?

Девятнадцатилетние, они верили в Свободную Любовь и с азартом исследовали не столько курортные достопримечательности, сколько тела друг друга. Отбросив закоснелые догматы церкви, общества, семьи, в этой поездке они стали жить как муж с женой, не связывая себя узами брака. Свобода будоражила их не меньше, чем сама близость; но скорее всего, эти вещи были неразрывно связаны.

Однако близость не могла продолжаться с утра до вечера. Если Свободная Любовь и решала самую насущную проблему, то не избавляла от всех прочих. Конечно, они любили друг друга, но постоянно находиться вместе — даже при его гонораре в триста рублей и ранней славе — было нелегко. В процессе работы он всегда знал, как поступить, и принимал верные решения, каких требовала его музыка. А когда дирижеры или солисты деликатно предлагали: может быть, лучше будет *вот так* и *вот этак*, он всегда отвечал: «Вы совершенно правы. Но давайте пока оставим как есть. А к следующему разу я учту ваше замечание». Все были довольны, включая его самого: он не собирался идти у них на поводу. Потому что собственная интуиция всегда подсказывала ему верные решения.

Но если сделать шаг в сторону от музыки... ситуация решительно менялась. Он начинал нервничать, путался в мыслях и нередко принимал решение только потому, что стремился поскорее закрыть сложный вопрос, а не потому, что твердо знал, чего хочет. Возможно, из-за рано проявившихся способностей он не приобрел полезный опыт нормального взросления. Так или иначе, практические житейские дела, включая дела сердечные, вызывали у него серьезные затруднения. А посему в Анапе он, наряду с восторженной влюбленностью и безудержной телесной близостью, открыл для себя неведомый мир, где царили неловкие паузы, неясные намеки, непродуманные планы.

Настало время уезжать: ему — в Ленинград, ей — в Москву. Но встречи продолжались. Однажды, дописывая какую-то пьесу, он попросил Таню с ним посидеть: в ее присутствии ему было спокойно. Через некоторое время в комнату вошла его мать. Глядя в упор на Таню, она изрекла:

— Выйди, дай Мите закончить работу.

А он возразил:

— Нет, пусть Таня сидит здесь. Это мне помогает.

Редчайший случай: он воспротивился материнской воле. Поступай он так чаще, жизнь могла бы сложиться по-другому. А может, и нет — как знать? Кому под силу тягаться с Софьей Васильевной, переборовшей самого́ Красного Наполеона?

Отдых в Анапе превратился в идиллию. Но любая идиллия по определению распознается только задним числом. Да, ему открылась любовь, но постепенно стало открываться и кое-что другое: любовь отнюдь не помогает «найти себя», не обволакивает тебя целиком, как спасительный одеколон «Гвоздика», а, наоборот, влечет за собой стеснение и нерешительность. Любовь к Тане наиболее явственно чувствовалась на расстоянии. А когда они были рядом, с обеих сторон возникали некие ожидания, которые он либо не распознавал, либо оставлял без ответа. Вот, к примеру, отправились они на Кавказ, но отнюдь не как муж и жена, а каждый сам по себе — свободные, равноправные личности. Но с какой целью: покончить с игрой в мужа и жену? Вроде как-то нелогично.

Только обманываться не стоило. Несовместимость их заключалась среди прочего в том, что при совпадении произносимых ими фраз его любовь была сильнее Таниной. Чтобы вызвать у нее ревность, он рассказывал, как флиртовал с другими, даже крутил интрижки, реальные или придуманные; она, похоже, злилась, но совсем не ревновала. Не раз он грозился покончить с собой. Однажды объявил о своей женитьбе на балерине, чего в принципе не исключал. Таня со смехом отмахивалась. А потом взяла да и выскочила замуж. Отчего чувства его только укрепились. Он умолял ее подать на развод и стать его женой; опять грозил наложить на себя руки. Но все напрасно.

В начале их знакомства она с нежностью сказала, что ее привлекли в нем чистота и открытость. Но коль скоро эти его качества не укрепили Танину любовь, ему теперь захотелось поменяться с нею местами. Нет, сам он не видел в себе ни чистоты, ни открытости. Похоже, эти слова имели своей целью удержать его на привязи.

Мысли сами собой перешли к проблеме честности. Честности в жизни, честности в искусстве. Как они связаны и связаны ли вообще. И каковы у него запасы честности, и надолго ли этих запасов хватит. Своим друзьям он заявил: если они когда-нибудь услышат, что он «отмежевался» от «Леди Макбет», то пусть знают, что он это проделал на сто процентов честно.

Он считает, что способен на сильные эмоции, но плохо умеет их выражать. Тут, впрочем, видится слишком большая поблажка самому себе, а следовательно, нечестность. По правде говоря, у него всегда была предрасположенность к неврастении. Ему казалось, он знает, чего хочет, но, добившись желаемого, он терял всякий интерес; а выпустив желаемое из рук, стремился заполучить обратно. Его, конечно, избаловали, ведь он рос «маменькиным сынком» и братом двух сестер; а вдобавок стал еще и человеком искусства, от которого ожидается «артистический темперамент»; а вдобавок еще и знаменитостью, отчего появилось в нем высокомерие, какое дает стремительная слава. Малько в лицо упрекал его за «растущее самомнение». Но в основе всего лежала тревога. Это чистой воды неврастения. Нет, хуже: истерия. От кого ему достался такой характер? Явно не от отца и даже не от матери. Что ж, от своей натуры не уйти. Об этом тоже позаботилась судьба.

Умом он понимает, каков для него идеал в любви...

Тут лифт миновал третий этаж, четвертый — и остановился перед ним. Он поднял с пола чемоданчик; дверцы открылись, и на площадку вышел незнакомец, насвистывая «Песню о встречном». Вид автора музыки прервал мелодию на середине фразы.

Умом он понимает, каков для него идеал в любви. Как нельзя лучше выразил его чаяния Мопассан в новелле о молодом командире гарнизона некоего средиземноморского города. Антиба, кажется. Так вот: офицер этот уходил гулять в сосновый лес, где частенько встречал жену местного коммерсанта, мсье Париса. И естественно, влюбился. Женщина раз за разом отвергала его ухаживания, пока в один прекрасный день не сообщила, что ее супруг отбывает по делам. Они назначили свидание, но в последнюю минуту пришла телеграмма: завершив дела, муж собирался приехать домой тем же вечером. Сгорая от страсти, командир гарнизона объявил осадное положение и приказал до утра запереть городские ворота. Перед сошедшим с поезда мужем часовые скрестили штыки; пришлось ему вернуться на станцию и провести ночь в зале ожидания. И все это было устроено ради того, чтобы офицер мог насладиться быстротечными часами любви.

Если честно, вообразить себя на гарнизонной службе в крепости или хотя бы у полуразрушенных османских ворот в сонном курортном городе у Черного моря он не мог. Но здесь важен принципп. Вот так любят: не ведая ни страха, ни преград, ни тревог о завтрашнем дне. И ни о чем не жалея впоследствии.

Благородные слова. Благородные чувства. И все же такие поступки выходили за пределы его понимания. Он мог представить, что на такую выходку был способен молодой лейтенант Тухачевский, стань он командиром гарнизона. Что же касалось его собственной безумной страсти... тут совсем другая история. Как-то поехал он на гастроли вместе с Гауком: дирижер неплохой, но обыватель до мозга костей. Дело было в Одессе. За пару лет до женитьбы на Ните. В ту пору он еще не терял надежды разжечь у Тани ревность. К слову сказать, и у Ниты, пожалуй, тоже. После отличного ужина он, подцепив двух девушек, перешел в бар гостиницы «Лондонская». Не исключено, правда, что его самого подцепили. Во всяком случае, они еще в ресторане подсели к нему за столик. Обе — миловидные; его сразу потянуло к той, которую звали Розалия. За беседами о литературе и искусстве он оглаживал ее бедра. Потом вызвался отвезти девушек домой на извозчике и по пути беззастенчиво трогал Розалию всю, а подружка отводила глаза. Сомнений не было: он влюбился. На другой день красавицы собирались уезжать на пароходе в Батум, и он примчался их проводить. Но дальше причала девушки не уехали: подругу Розалии арестовали за торговлю собственным телом.

Такого поворота событий он не ожидал. Но успел безоглядно полюбить Розочку. Как он переживал: бился головой о стену, рвал на себе волосы, словно герой дешевого романа. Гаук сурово указывал, что от таких девиц лучше держаться подальше: они — шмары и редкостные прохиндейки. Но это лишь подхлестнуло его чувства. Не каждый день случаются такие приключения. Он до того распалился, что едва не заключил брак с Розочкой. Правда, на пороге одесского загса сообразил, что паспорт остался в гостинице. А потом каким-то образом... теперь даже не вспомнить, как и почему... история закончилась тем, что в три часа ночи под проливным дождем он убегал с парохода, который только-только пришвартовался в сухумском порту. А из-за чего был весь сыр-бор?

Но что самое главное: он не ведал никаких сожалений. Ни преград, ни тревог о завтрашнем дне.

Как вышло, что он едва не женился на профессиональной жрице любви? В силу обстоятельств, предполагал он: просто возникла некая *folie à deux*[1]. Ну и еще из духа противоречия. «Мама, это Розалия, моя жена. Ты ведь не удивляешься, правда? Разве ты не читала мой дневник, где я своей рукой написал: „Женитьба на проститутке"? Согласись, хорошо, когда у женщины есть профессия». Если что, развод получить — пара пустяков, так почему бы и нет? Влюбился он без памя-

---

[1] Парная мания *(фр.)*.

ти, через пару дней они едва не расписались, а еще через пару дней он убегал от нее под дождем. Тем временем престарелый Гаук, сидя в ресторане гостиницы «Лондонская», мучился дилеммой: одну заказать котлетку или две? И кто взял бы на себя смелость указывать ему, что лучше? Ответ приходит позже, задним числом.

Сам он — человек скованный, а тянется всегда к бойким женщинам. Не отсюда ли проистекают его неудачи?

Он закурил следующую папиросу. Между искусством и любовью, между гонителями и гонимыми всегда вклиниваются папиросы. Ему представилось, как сменивший Закревского сотрудник органов, сидя у себя в кабинете, протянет ему пачку «Беломора». А он откажется и в ответ предложит свой «Казбек». Тогда следователь, в свою очередь, тоже откажется, и каждый положит на стол свою пачку, завершив тем самым ритуальные жесты. Деятели искусства предпочитают «Казбек»: даже рисунок пачки наводит на мысль о свободе — горец на коне, летящий вдаль на фоне заснеженных вершин. Судачили, будто изображение утвердил не кто-нибудь, а Сталин, хотя сам Великий Вождь курит особый сорт. Папиросы изготавливаются для него по спецзаказу — нетрудно вообразить, с каким тщанием и благоговейным ужасом. Впрочем, Сталин не так прост, чтобы взять да и зажать в зубах «Герцеговину Флор».

Нет, он привычно отламывает картонный мундштук и набивает трубку папиросным табаком. На его письменном столе, как рассказывали сведущие люди несведущим, вперемешку валяются клочки папиросной бумаги, обрывки картона и кучки пепла. Это каждый знает — вернее, многократно слышал, — поскольку даже самые банальные подробности о привычках Сталина передаются из уст в уста.

В присутствии Сталина никто не осмеливается курить «Герцеговину Флор», разве что угощает сам вождь, но и в этом случае посетитель робко норовит приберечь папиросу, чтобы впоследствии похваляться ею, как священной реликвией. Непосредственные исполнители приказов Сталина обычно курят «Беломор». Сотрудники НКВД обычно курят «Беломор». На пачке изображена карта Российской Федерации, а на ней красной линией обозначен Беломорско-Балтийский канал. В начале тридцатых годов это Великое Достижение Советской Власти строили заключенные. Сей факт, вопреки обычной практике, широко использовался в пропагандистских целях. Сообщалось, что на строительстве канала заключенные не только трудились на благо Родины, но и получали возможность «перековаться». Что ж, кое-кто из них пришел, вероятно, к нравственному совершенствованию, только поговаривали, что из ста тысяч строителей полегла примерно четверть — как видно, те, которые не перековались. Лес рубят — щепки летят; это и были щепки. А сотрудники НКВД закуривали «Беломор» и, выпуская дымок, прикидывали, где бы еще рубануть топором.

Наверняка у него во рту была папироса, когда перед ним возникла, уходя с теннисного корта, старшая из трех сестер Варзар — Нина, сиявшая от удовольствия, смеха и пота. Спортивная, уверенная в себе, окруженная поклонниками златовласка, — казалось, из-за отблеска волос даже глаза у нее лучились золотом. Будучи выпускницей физического факультета и любительницей фотографии, она устроила у себя дома небольшую фотолабораторию. Особой тягой к домашнему очагу девушка, правда, не отличалась, да и он, между прочим, тоже. На страницах какого-нибудь романа его жизненные тревоги, достоинства и слабости, некоторая склонность к истерии — все это закружилось бы в водовороте любви и прибилось к блаженству тихой семейной гавани. Но одно из множества житейских разочарований заключается в том, что жизнь — это не роман и не новелла Мопассана. Скорее, это сатирическая повесть Гоголя.

А посему они с Ниной встретились, сблизились, но он все равно пытался вернуть себе Таню, увести ее от мужа, и лишь когда Таня забеременела, они с Ниной подали заявление, однако в последнюю минуту он дрогнул, не явился в загс, сбежал и затаился; впрочем, они не расстались и через несколько месяцев все же оформили отношения, а дальше Нина завела роман на стороне, и решено было развестись, а дальше он тоже завел роман на стороне, и они разъехались, затеяли развод, дали объявление в газету, но после расторжения брака оба поняли, что совершили ошибку, и через полтора месяца расписались вновь, хотя сложности на этом не кончились. В разгар тех перипетий он написал своей возлюбленной, Елене: «Человек я очень слабохарактерный, и смогу ли я достичь своего счастья, не знаю». Потом Нита забеременела, и жизнь по необходимости худо-бедно вошла в привычное русло. С той только поправкой, что к началу високосного 1936 года Нита была уже на четвертом месяце, а на двадцать шестой день того же года Сталин решил послушать оперу.

Прочитав редакционную статью, он первым делом телеграфировал своему другу Гликману, чтобы тот поехал на ленинградский главпочтамт и оформил подписку на тематические вырезки из прессы. Эти вырезки, ежедневно доставляемые Гликманом ему домой, причем в большом количестве, они читали вместе. В купленный альбом, прямо на первую страницу, он поместил «Сумбур вместо музыки». Гликман усмотрел в этом ненужное самоедство, но он твердил: «Пусть будет, пусть будет». В тот же альбом вклеивались и следующие статьи, одна за другой, по мере их поступления. Никогда прежде у него не доходили руки до подшивки рецензий, но тут было совсем другое дело. Теперь не только созданная им музыка стала мишенью критики, но и его существование как таковое подвергалось редакционному неодобрению.

Бросалось в глаза, что музыковеды, которые в течение двух лет на все лады расхваливали «Леди Макбет», теперь вдруг перестали находить в этой опере что бы то ни было положительное. Некоторые откровенно признавались в своих прошлых заблуждениях и объясняли, что после статьи в «Правде» шелуха отпала от глаз их. Как можно было столь глубоко заблуждаться по поводу этой музыки и ее сочинителя! Наконец-то они узрели, какую опасность для истинной природы отечественной музыки несут формализм, космополитизм и левачество! Помимо этого, он про себя отмечал, кто из музыкантов теперь публично ратует против его творчества, кто из друзей и знакомых старается от него отмежеваться. С тем же видимым спокойствием читал он и письма от рядовых граждан, непонятно как заполучивших его домашний адрес. Многие советовали ему отрубить себе ухо, на которое медведь наступил, и желательно вместе с головой. А потом в газетах — причем в самых нейтральных фразах — замелькало выражение, от которого уже было не отмыться. Например: «Сегодня состоится концерт из произведений врага народа Шостаковича». Такие ярлыки никогда не навешивались просто так, без указания сверху.

Его мучил вопрос: почему советская власть вдруг вплотную занялась его музыкой и его персоной? Советская власть всегда больше интересовалась не нотами, а словами: не зря же именно писатели, а не композиторы звались инженерами человеческих душ? Писателей громили на первой полосе, а композиторов на третьей. Это что-нибудь да значило: порой дистанция в две газетные полосы знаменовала границу между жизнью и смертью.

Инженеры человеческих душ: холодный, механистический штамп. Но все же... чем еще заниматься деятелям искусства, если не человеческой душой? Речь, конечно, не о тех, кто играет сугубо декоративную роль или служит комнатной собачонкой для состоятельных и облеченных властью. Сам он всегда был далек от барства: и в чувствах, и в политике, и в подходе к творчеству. В минувшую оптимистическую эпоху (притом что минула она пару лет назад), когда пересматривались виды на будущее не только отечества, но и земного шара, создавалось впечатление, что все искусства вскоре сойдутся в славном едином порыве. Музыка и литература, театр и кино, архитектура, балет, фотография станут развиваться в динамическом содружестве, не просто отражая общество или критикуя и высмеивая его недостатки, но занимаясь *созиданием* этого самого будущего. А деятели искусства по собственной воле, без какого-либо политического принуждения будут способствовать формированию и расцвету человеческих душ.

Почему бы и нет? Это же извечная мечта любого художника. Или, как ему теперь думалось, извечная иллюзия. Ибо партийно-правительственный аппарат не замедлил взять такое содружество под свой контроль, чтобы свести на нет свободу и фантазию, многозначность и нюансировку, без которых искусство выхолощено. «Инженеры человеческих душ». С ними связаны две проблемы. Во-первых, есть немало людей, которые премного благодарны, но не нуждаются в обработке своих душ. Каждому из них неплохо живется с той душой, которая вместе с ним пришла в этот мир; а если таких пытаются рихтовать, они вечно упираются. На открытой эстраде состоится такой-то концерт, приходите, товарищ. Да-да, есть мнение, что ваше присутствие обязательно. Ну разумеется, дело это сугубо добровольное, но, по нашему глубокому убеждению, не появиться там будет ошибкой...

И во-вторых, есть проблема еще более существенная. Откуда возьмутся инженеры по обработке уже имеющихся инженеров?

Ему запомнился концерт в городском парке Харькова. Его Первая симфония взбудоражила свору бродячих собак. В толпе зазвучали смешки, оркестр все прибавлял громкости, собаки заливались еще пуще, слушатели откровенно веселились. А теперь его музыка взбудоражила совсем другую свору. История повторилась дважды: первый раз в виде фарса, второй — в виде трагедии.

Становиться персонажем такой исторической драмы ему не улыбалось. Но порой, когда бессонными предрассветными часами в голове проносились самые разные мысли, он думал: вот, стало быть, каков финал. Все чаяния, идеалы, надежды, успехи, наука, искусство, совесть — все приходит к такому концу: ты стоишь у лифта с чемоданчиком, в котором папиросы, смена белья и зубной порошок, и ждешь, когда тебя заберут.

Усилием воли он направил свои мысли к другому композитору, с совершенно другим чемоданом. Прокофьев сразу после революции уехал из России на Запад и впервые вернулся на родину только в двадцать седьмом году. Сергей Сергеевич — светский лев, ценитель дорогих удовольствий. Принадлежит, между прочим, к секте христианской науки, хотя это к делу не относится. Таможенники на границе с Латвией светскими львами явно не были, да к тому же умы их занимали шпионы, саботаж и контрреволюция. Открывают они чемодан Прокофьева, а там, прямо сверху, непонятно что: пижама. Развернули ее, вытащили на свет, повертели так и этак, недоуменно переглянулись. Сергей Сергеевич, надо думать, смутился. Во всяком случае, объясняться пришлось его жене. Но Пташка после долгих лет на чужбине забыла, как будет по-русски «одежда для сна». Кое-как объяснились жестами, и супружескую чету пропустили через границу. Так или иначе, эта история точно характеризовала Прокофьева.

Альбом. Кто будет покупать альбом, чтобы вклеивать туда разносные статьи о самом себе? Помешанный? Сатирик? Простой русский человек? Ему вспомнился Гоголь: тот, бывало, подходил к зеркалу и неприязненно, как чужой, окликал себя по имени. Разве это признак помешательства?

Официальный статус его звучал так: «беспартийный большевик». Сталин любил повторять, что большевика украшает скромность. Да-да; а Россия — родина слонов.

Когда родилась Галина, они с Нитой в шутку обсуждали, не назвать ли ее Сумбуриной. Вот это был бы жест иронической бравады. Нет, самоубийственной глупости.

Письмо, написанное Тухачевским Сталину, осталось без ответа. Рекомендации, данные Керженцевым Дмитрию Дмитриевичу, остались без внимания. Не стал он делать никаких заявлений, извиняться за юношеский максимализм, публично каяться. Правда, отозвал свою Четвертую симфонию, в которой тот, кто имеет уши, да не слышит, без труда обнаружил бы возмутительное кряканье, уханье и пыхтение. Между тем все его оперы и балеты исключили из репертуара. Композиторская стезя резко оборвалась.

А позднее, весной тридцать седьмого, состоялся его Первый Разговор с Властью. Нет, с Властью он, конечно, беседовал и прежде; точнее, Власть беседовала с ним: официальные лица, чиновники, идеологи давали советы, выдвигали предложения, ставили ультиматумы. Власть беседовала с ним и публично, через печатные органы, и приватно, нашептывая на ухо. За последнее время Власть его разгромила, отняла средства к существованию, приказала каяться. Объяснила, как он должен работать и как жить. А теперь, по зрелом размышлении, давала понять, что и жить-то ему совсем не обязательно. Власть решила поговорить с ним лицом к лицу. У Власти было имя: Закревский; Власть эта, в том обличье, в каком являла себя гражданам вроде Дмитрия Дмитриевича, обитала в Большом доме на Литейном проспекте. Многие из побывавших у нее на приеме как в воду канули.

Повестка предписывала явиться в субботу утром. Своих домашних и друзей он заверил, что это простая формальность, которая предпринимается автоматически, по следам разгромных статей в «Правде». Верилось в это с трудом — и ему самому, и, наверное, близким. Мало кого вызывали в Большой дом для обсуждения вопросов музыковедения. Естественно, он проявил пунктуальность. Власть поначалу держалась в рамках приличий, даже вежливо. Закревский расспрашивал о работе, о профессиональных делах, поинтересовался творческими планами. В ответ он выпалил, почти непроизвольно, что пишет симфонию о Ленине — это прозвучало вполне убедительно. Затем счел возможным упомянуть травлю в прессе и приободрился, когда следователь почти небрежно отмахнулся от таких проблем. Далее был задан вопрос о его друзьях, о тех, с кем он встречается чаще всего. Он затруднился с ответом. Тогда Закревский подсказал:

— Вы, как я понимаю, знаете маршала Тухачевского?

— Да, знаю.

— Расскажите, как вы познакомились.

Он вспомнил, как произошло их знакомство за кулисами Малого зала. Объяснил, что маршал, известный ценитель музыки, часто посещает его концерты, сам играет на скрипке и в свободное время даже мастерит скрипки своими руками. Маршал не раз приглашал его к себе домой, они вместе музицировали. Это хороший скрипач-любитель. В каком смысле «хороший»? Бесспорно, одаренный. И притом постоянно совершенствуется.

Но Закревского мало интересовали успехи маршала в области аппликатуры и смычковой техники.

— Вы часто у него бывали?

— Время от времени заходил.

— Время от времени за какой период? За восемь лет, за девять, десять?

— Да, примерно так.

— Получается четыре-пять посещений в год. Стало быть, в общей сложности раз сорок-пятьдесят?

— Нет, меньше. Я не считал. Меньше.

— Но вы с маршалом Тухачевским — близкие друзья?

Задумавшись, он ответил не сразу.

— Нет, мы не близкие друзья, мы просто хорошие знакомые.

Он умолчал о том, что маршал пробивал для него материальную помощь, давал советы, обращался с ходатайством к Сталину. Возможно, Закревский и так об этом знал, а нет — и не надо.

— Кто еще бывал у вашего хорошего знакомого во время ваших сорока или пятидесяти визитов?

— Почти никого. Одни родственники.

— Одни родственники? — с понятным сарказмом переспросил следователь.

— Ну, музыканты. Музыковеды.

— А из партийного руководства никто, случайно, не захаживал?

— Нет, никогда.

— Уверены?

— Понимаете, у него иногда собиралась довольно большая компания. И мне точно не... Я же просто на рояле играл...

— А разговаривали о чем?

— О музыке.

— И о политике.

— Нет.

— Да ладно, ладно вам: кто бы упустил возможность потолковать о политике с самим Тухачевским?

— Встречи же происходили, так сказать, на досуге. Он просто общался со знакомыми, с музыкантами.

— А партийные работники не заходили пообщаться на досуге?

— Нет, никогда. В моем присутствии разговор вообще не касался политики.

Следователь долго сверлил его взглядом. А затем сменил тон, будто для того, чтобы собеседник осознал всю серьезность и даже опасность своего положения.

— А вы подумайте, припомните. Быть такого не может, чтобы вы, по собственному признанию, десять лет ходили к маршалу Тухачевскому домой как «хороший знакомый» и не вели разговоров о политике. Ну, например, вы слышали, как он обсуждал с гостями план убийства товарища Сталина? Что вам об этом известно?

Тут он понял, что это конец. «И чей-нибудь уж близок час». Он попытался растолковать самыми простыми словами, что в доме у маршала Тухачевского никогда не велись политические дискуссии, что там устраивались сугубо музыкальные вечера, а государственные дела оставлялись у порога, вместе с верхней одеждой. Возможно, он выбрал не самые удачные выражения, но Закревский так или иначе слушал вполуха.

— А я вам настоятельно рекомендую вспомнить тот разговор, — процедил следователь. — Некоторые из тех, кто бывал с вами в гостях у Тухачевского, уже дали нам показания.

Тогда до него дошло, что Тухачевский определенно арестован, что маршальская карьера закончена и жизнь тоже, но следствие только начинается и скоро все окружение маршала будет стерто с лица земли. А виновен или нет какой-то там композитор — неважно. Насколько правдивы его ответы — неважно. Решение уже принято. И если им потребуется доказать, что заговор — недавно раскрытый или недавно выдуманный — успел так широко раскинуть свои зловещие сети, что в них попался даже известнейший — хотя и намедни разжалованный — композитор, то они это докажут. Отсюда и будничность следовательского тона при завершении допроса.

— Ладно. Сегодня суббота. Двенадцать часов дня. Можете идти. Я даю вам двое суток на размышление. К понедельнику, ровно к двенадцати дня, советую вам вспомнить все. Каждую подробность заговора против товарища Сталина — вы один из главных свидетелей.

Это конец. Содержание допроса он пересказал Ните, и в ее участливых словах прочел то же самое: это конец. Его долгом было защитить близких, а для этого требовалось сохранять присутствие духа, но им овладело неистовство. Он сжег все бумаги, которые могли показаться компроматом; да только если заклеймили тебя как врага народа и как сообщника пресловутого убийцы, компроматом становится все, что вокруг тебя. Хоть всю квартиру сжигай. Он боялся за Ниту, за мать, за Галю, за всех, кто открывал или закрывал двери его дома.

И от судеб защиты нет. А посему в тридцать лет он сгинет. Старше, конечно, чем Перголези, но моложе Шуберта. И даже самого Пушкина, к слову. Как имя, так и музыка его канут в небытие. Даже следов не останется — будто никогда и не существовало. Будто он — допущенная, но тотчас же исправленная ошибка; лицо на фотографии, которое было, да сплыло при последующей печати. А если, паче чаяния, в будущем его извлекут на свет, что при нем окажется? Четыре симфонии, один фортепианный концерт, пара оркестровых сюит, две пьесы для струнного квартета, но при этом законченных струнных квартетов — ни одного, какие-то фортепианные сочинения, соната для виолончели, две оперы, кое-какая музыка к фильмам и балетам. Чем он запомнится? Оперой, которая принесла ему позор, симфонией, которую осмотрительно отозвал сам? Разве что Первой симфонией, которая будет исполняться в качестве жизнерадостной прелюдии на концертах зрелых композиторов, коим повезет его пережить.

Но даже это, как он понимал, самообман. Его собственные суждения никакой роли не играют. Как будущее решит, так и решит. Например, что музыка его не имеет веса. Что он, возможно, и добился бы чего-нибудь как композитор, если бы под влиянием уязвленного самолюбия не примкнул к предательскому заговору против главы государства. Кто знает, чему поверит будущее, а чему нет? На будущее мы возлагаем слишком уж большие надежды, все ждем, что оно поспорит с настоящим. Он представил, как Галя, шестнадцатилетняя, выходит из детского дома где-нибудь в Сибири, считая, что жестокие родители бросили ее на произвол судьбы, и ни сном ни духом не ведая, что отец ее написал какую-то музыку, хотя бы одну строчку.

Когда в его адрес впервые зазвучали угрозы, он сказал друзьям: «Я буду писать музыку всегда, всегда, пока я буду жив. Если я потеряю обе руки, я возьму перо в зубы!» В этой фразе прозвучал вызов, имевший целью поднять общий дух, в том числе и его собственный. Однако отрубать ему руки, его маленькие, «не пианистические» руки никто не планировал. Вероятно, для него планировались пытки; в таком случае он тотчас же согласится на все, что ему велят, — боли он не переносит. Ему предъявят список имен, и он потянет за собой всех. Сначала коротко скажет «нет», но тут же спохватится: «да, да, да и еще раз да». Да, я в это время находился в квартире маршала; да, я слышал все, что, по вашим сведениям, он говорил; да, военачальник такой-то и государственный деятель такой-то были участниками заговора, я сам все видел и слышал. И никакого тебе драматического отрубания рук, а просто, по-деловому — пуля в затылок.

Эти его слова — в лучшем случае глупое бахвальство, а в худшем — не более чем фигура речи. Но Власть не интересуют фигуры речи. Власть интересуют голые факты, и язык ее состоит из таких фраз и эвфемизмов, которые призваны либо пропагандировать, либо маскировать эти факты. В сталинской России нет композиторов, которые пишут музыку, взяв перо в зубы. Композиторы нынче бывают только двух сортов: либо живые и запуганные, либо мертвые.

Совсем недавно он ощущал в себе несокрушимость юности. Более того, ее нетленность. А за этим, под этим скрывалось убеждение в истинности и правоте своего дарования, уж какое есть, и своей музыки — уж какую сочинил. Это убеждение нисколько не пошатнулось. Оно просто сделалось полностью никчемным.

В субботу вечером, а затем и вечером в воскресенье он выпил, чтобы поскорее уснуть. Требовалось ему немного. Он быстро хмелел: от пары рюмок уже тянуло прилечь. Но эта слабость давала определенное преимущество. Выпил — и отдыхай, пока другие напиваются. Зато утром встаешь со свежей головой, работа спорится.

В Анапе практиковалось лечение виноградом и виноградным соком. Однажды он в шутку сказал Тане, что предпочел бы лечение водкой. А посему теперь два вечера кряду назначал себе алкогольную терапию.

Наутро в понедельник он поцеловал Ниту, на прощанье прижал к себе Галю и поехал автобусом в сторону мрачного серого здания на Литейном. Как всегда пунктуальный, он и на встречу со смертью отправился к назначенному часу. Окинул беглым взглядом Неву, которая переживет их всех. В Большом доме обратился к дежурному. Солдатик сверился со списком, но фамилии Шостакович не нашел. Переспросил. Пришлось повторить. Солдатик вновь углубился в изучение списка.

— Вы к кому? По какому вопросу?

— К следователю Закревскому.

Чекист медленно покивал. И, не поднимая головы, сказал:

— В списке вас нету. Закревского сегодня не будет, так что заниматься вами некому. Можете идти.

Так окончился его Первый Разговор с Властью.

Он пошел домой. Заподозрил подвох: за ним теперь будут следить, чтобы разом взять всех его друзей и знакомых. Но оказалось, что ему выпало небывалое везенье. В промежутке от субботы до понедельника Закревский сам вышел из доверия. Следователь под следствием. Тюремщик в тюрьме.

А если из Большого дома человек отпущен без подвоха, значит имела место какая-то недоработка. Дело Тухачевского уже не закроют, а значит, отсутствие Закревского — лишь небольшое промедление. Скоро придет новый Закревский, а следом и новая повестка.

Три недели спустя после ареста маршал был расстрелян вместе с другими военачальниками. Направленный против товарища Сталина заговор армейской верхушки успели раскрыть вовремя. Из ближайшего окружения маршала был арестован и расстрелян их общий друг, Николай Сергеевич Жиляев, выдающийся музыковед. На очереди, как видно, было раскрытие заговора музыковедов, потом — композиторов, потом тромбонистов. А что такого? «Иногда вовсе нет никакого правдоподобия».

Казалось бы, совсем недавно они все смеялись, когда профессор Николаев определил, кто такой музыковед. Вообразите, говорил профессор, что мы едим яичницу. Приготовила ее моя домработница Паша, и вот мы едим. Тут появляется человек, который эту яичницу не приготовляет и не ест, но говорит о ней, — вот это и есть музыковед.

Но теперь, когда и музыковедов начали расстреливать, шутка уже казалась совсем не смешной. Николаю Сергеевичу Жиляеву инкриминировали целый ряд преступлений: монархизм, терроризм и шпионаж.

А посему начались эти ночные бдения на лестничной площадке. И он был в этом не одинок. В городе нашлось немало таких, кто хотел избавить близких от зрелища своего ареста. Каждую ночь он действовал заведенным порядком: опорожнял кишечник, целовал спящую дочку, целовал неспящую жену, принимал у нее из рук чемоданчик и затворял входную дверь. Как будто собирался в ночную смену. В каком-то смысле так и было. А потом стоял и ждал, размышляя о прошлом, опасаясь за будущее, скрашивая недолгое настоящее папиросами. Чемоданчик прижимался к ноге, словно хотел приободрить и его, и других; выполнял он и сугубо практическую задачу: показывать окружающим, что ты — не жертва обстоятельств, а хозяин положения. Считалось, что человек, уходящий из дома с чемоданчиком, вернется. В отличие от человека, которого вытаскивают из постели в пижаме. Так это или не так — не важно. А важно другое: ты своим видом показываешь, что страха нет.

К этому сводился один из тех вопросов, которые вертелись в голове: ждать у лифта, что сейчас за тобой придут, — это смелость или трусость? Или ни то ни другое, а просто здравый смысл? Найти ответ он не надеялся.

Интересно знать: преемник Закревского тоже начнет с любезных подходцев, потом заговорит жестче, с угрозой в голосе, и потребует явиться в назначенный день со списком имен? Неужели кому-то нужны дополнительные улики против Тухачевского, если тот уже допрошен, осужден и расстрелян? Нет, скорее, грядет более масштабное расследование, охватывающее дальний круг знакомств, поскольку с ближним кругом уже покончено. Ему будут задавать вопросы о политических убеждениях, о родственниках, о профессиональных связях. Что ж, он вспомнит, как в детстве, с приколотым к пальтишку красным бантом, гордо стоял перед своим домом на Николаевской; как подростком бежал с одноклассниками на Финляндский вокзал встречать возвращавшегося в Россию Ленина. Вспомнит свои ранние сочинения, «Траурный марш памяти жертв Революции» и «Гимн свободе», написанные еще до Опуса номер один.

Но чем дальше, тем больше факты перерождались в обычные сообщения, открытые для неоднозначных толкований. Например, он учился в школе с детьми Керенского и Троцкого: вначале это было предметом гордости, затем превратилось в любопытную подробность, а теперь, наверно, в постыдную тайну. Или еще: его дядя, Максим Лаврентьевич Кострикин, старый большевик, сосланный в Сибирь за участие в революции девятьсот пятого года, первым пробудил у племянника революционные настроения. Но старые большевики, некогда гордость и благо для родных, теперь все чаще становились проклятьем.

Сам он в партию не вступал и не стремился. Не мог он связать себя с партией, которая творит насилие, вот и все. Но в роли «беспартийного большевика» позволял считать себя горячим сторонником партии. Он писал музыку к фильмам, а также балеты и оратории, прославлявшие дело Революции. Его Вторая симфония, кантата в честь десятой годовщины Великого Октября, была написана на совершенно неудобоваримый текст Александра Безыменского. А чего стоили опусы, которые превозносили коллективизацию и клеймили саботаж на производстве. Его музыка к фильму «Встречный» — про заводских рабочих, с ходу придумавших, как повысить производительность труда, — имела невероятный успех и остается популярной по сей день: ее насвистывают и напевают по всей стране. Теперь у него начата — и, видимо, будет в работе еще долго, то есть ровно столько, сколько потребуется, — симфония памяти Ленина.

Вряд ли эти доводы убедят новоявленных Закревских. Он хоть сколько-нибудь за коммунизм или против? Конечно за, если выбор стоит между коммунизмом и фашизмом. Вот только не верит он в утопию, в совершенствование человечества, в инженерию человеческих душ. После пяти лет НЭПа он написал одному знакомому: «Царство Истины наступит через 200 000 000 000 лет». Вероятно, это чрезмерный оптимизм.

Теория всегда чиста, убедительна и прозрачна. Жизнь беспорядочна и несуразна. Он претворил в жизнь теорию Свободной Любви, сначала с Таней, потом с Ниной. Честно сказать, с обеими одновременно: в ту пору обе слились воедино у него в сердце; даже теперь нет-нет да и случалось нечто похожее. До уяснения того факта, что теория любви разбивается о житейские реалии, нужно пройти долгий и болезненный путь. Это все равно что взяться писать симфонию, наскоро прочитав пособие по композиции. А кроме всего прочего, человек он слабохарактерный, нерешительный, хотя порой и проявляет решимость. Но не всегда принимает верные решения. Так что в душе у него... как бы поточнее выразиться... сумбур вместо музыки. Он безрадостно усмехнулся. Действительно, сумбур вместо музыки.

Его влекло к Тане; мать возражала. Его влекло к Нине; мать возражала. С месяц он молчал, что расписался с Ниной, чтобы туча недоброжелательства не заволокла их безмятежного счастья. Допустим, это было не самое героическое деяние в его жизни. Когда же он открылся матери, та и бровью не повела, будто сама все знала (не иначе как нашла свидетельство о браке), но просто не видела причин для одобрения. Нину мать вроде бы нахваливала, но на самом деле осуждала. Возможно, когда его не станет — по всей вероятности, ждать осталось недолго, — они заживут одной семьей. Мать, невестка, внучка: три поколения женщин. В России все больше становилось таких семей.

Наверно, у него есть какие-то заблуждения, но не совсем же он наивен и туп. С младых ногтей понимал, что должен воздавать кесарю кесарево. Так чем же он прогневал кесаря? Может, работать ленится? Да нет, пишет быстро, договорные сроки, считай, не нарушает. Способен выдавать яркие, мелодичные произведения, которые с месяц будут радовать его самого, а публику — лет десять. Но в том-то и загвоздка. Кесарь не просто взимает дань, он еще и назначает валюту. Почему, собственно, товарищ Шостакович, ваша новая симфония совершенно не похожа на «Песню о встречном»? Почему сталевар, возвращаясь домой после трудовой смены, не насвистывает первую тему вашей симфонии? Мы знаем, товарищ Шостакович, что вам вполне под силу сочинять музыку, которая нравится массам. Так зачем же вы, на потребу самодовольной, буржуазно настроенной публике, до сих пор заполняющей концертные залы, упрямо возвращаетесь к своему формалистическому кряканью и уханью?

Да, в отношении кесаря он проявил наивность. Точнее, ориентировался на устарелые правила. В прежние времена кесарь взимал дань в таких размерах, чтобы только обозначить свою власть: установленный процент, соразмерный твоим возможностям. Но время не стоит на месте, и новые кремлевские кесари усовершенствовали эту систему: теперь дань равняется ста процентам твоих возможностей. Это как минимум.

В студенческие годы — радостные, радужные, ранимые — он три года вкалывал кинопианистом. Аккомпанировал немым фильмам в «Пикадилли» на Невском, в «Светлой ленте» и в «Сплендид-Паласе». Работа была тягостная и унизительная: скряги-владельцы подчас предпочитали тапера уволить, лишь бы не платить. Но он напоминал себе, что даже Брамс подрабатывал игрой на пианино в матросском борделе Гамбурга. Впрочем, там, наверное, было повеселее.

Как мог, он задирал голову к экрану, чтобы решить, какая музыка соответствует кадрам. Публика предпочитала знакомые романтические мелодии, но он со скуки то и дело переходил на собственные вещи. Их принимали без восторга. Кино — это тебе не концертный зал: если публика тебя захлопывает, значит что-то ей не по нраву. Однажды на вечернем сеансе он аккомпанировал фильму «Болотные и водоплавающие птицы Швеции», от которого проникся более желчным, чем обычно, сарказмом. Сначала имитировал птичьи крики, затем, по мере того как болотные и водоплавающие птицы взмывали все выше к небу, прибавлял громкости. Раздались хлопки; он по наивности отнес их на счет этого нелепого фильма и заиграл еще азартнее. А зрители повалили с жалобами в дирекцию: тапер, дескать, напился, его игру даже музыкой считать нельзя, это же оскорбительно и для такого прекрасного фильма, и для публики. Владелец тут же отстранил его от работы.

А ведь в этом, как он сейчас понял, словно в капле воды отразился весь его путь. Напряженная работа, определенный успех, пренебрежение музыкальными нормами, осуждение свыше, задержка гонорара, отстранение. Правда, сейчас он уже обретался в мире взрослых, где отстранение от работы равносильно приговору.

Ему представилось, как в зале сидит мама, а перед ней на экране сменяются кадры девушек. Таня: мать хлопает. Нина: мать хлопает. Розалия: мать истово бьет в ладоши. Клеопатра, Венера Милосская, царица Савская: мать равнодушно аплодирует, ни разу не улыбнувшись.

Ночные бдения растянулись на десять дней. Нита утверждала — без достаточных оснований, просто из оптимизма и настойчивости, — что непосредственная опасность, скорее всего, миновала. Ни она сама, ни он этому не верили, но он устал топтаться у лифта, ждать скрежета и рокота механизма. Устал бояться. А посему вновь укладывался спать рядом с женой, полностью одетым, поставив у кровати собранный чемоданчик. В паре метров младенческим сном спала Галя, еще не ведавшая о государственных делах.

Однажды утром он поднял с пола и открыл свой чемоданчик. Белье убрал в ящик комода, зубную щетку и порошок отнес в шкафчик над раковиной, а три пачки «Казбека» выложил на письменный стол.

И стал ждать, что Власть возобновит свои беседы. Но Большой дом о себе не напоминал.

Впрочем, Власть не сидела сложа руки. Многие из его окружения исчезали: одних отправляли в лагеря, других на расстрел. Его теща, дядя — старый большевик, единомышленники, бывшая возлюбленная. А что сталось с Закревским, который не вышел на службу в тот роковой понедельник? О нем не было ни слуху ни духу. Как будто Закревского и вовсе не существовало.

Да только «от судеб защиты нет»: пока что судьба, как видно, назначила ему жить. Жить и работать. Не покладая рук. «Забвенье, сон и отдых от забот», как писал Блок, хотя мало кому в ту пору сон приносил отдохновение. Но жизнь продолжалась; вскоре Нита забеременела вторично, а он теперь добавлял к своим опусам номера, которые раньше грозили оборваться на Четвертой симфонии.

Премьера его Пятой, написанной тем летом, состоялась в ноябре тридцать седьмого, в Большом зале Ленинградской филармонии. Один престарелый филолог сказал Гликману, что до этого лишь однажды слышал такую бурную и продолжительную овацию: когда Чайковский дирижировал своей Шестой симфонией. Какой-то журналист — глупец? оптимист? сочувствующий? — описал Пятую как «деловой творческий ответ советского художника на справедливую критику». Советский художник не стал опровергать это суждение, и многие уверовали, что он своей рукой написал такой подзаголовок поверх партитуры. Эти слова приобрели наибольшую известность из всего, что было — точнее, не было — им написано. Он не стал от них отмежевываться: они оберегали его произведения. Пусть Власть упивается этими словами: слова не в силах запятнать музыку. Музыка выше слов — в этом ее цель и величие.

Кроме того, фраза эта позволила тем, у кого торчат ослиные уши, услышать то, что им хотелось. От них ускользнула вопиющая ирония финала, этого триумфа-издевки. До них дошел только триумф как таковой: верноподданническая поддержка советской музыки, советского музыковедения, жизни под солнцем сталинской конституции. Он закончил симфонию мажорным фортиссимо. А что, если бы там прозвучало минорное пианиссимо? Ценой могла бы стать жизнь, причем не одна. «Чепуха совершенная делается на свете».

Успех Пятой симфонии был мгновенным и безоговорочным. Такое внезапное явление должным образом проанализировали и партийные чиновники, и ручные музыковеды: симфония получила официальную трактовку, облегчавшую советским слушателям ее понимание. Пятую стали называть «оптимистической трагедией».

Часть вторая
В САМОЛЕТЕ

Он твердо знал одно: *сейчас* настали худшие времена.

Клин клином вышибают, а страх — страхом. Поэтому, когда набирающее высоту воздушное судно вспарывало небесную твердь, он счел за лучшее погрузиться в сиюминутный, здешний страх перед катастрофой, распадом, небытием, мгновенным забвснием. Обычно страх еще и вышибает все другие эмоции — за исключением стыда. В животе бурлили страх и стыд вперемешку.

За стеклом виднелись крыло и вертящийся пропеллер самолета компании «Американ оверсиз»; потом возникли облака. Другие члены делегации, у кого и места были получше, и любопытства поболее, прижимались носами к маленьким иллюминаторам, чтобы проводить взглядом панораму Нью-Йорка. Шестеро, как нетрудно было понять, пребывали в праздничном расположении духа и не могли дождаться стюардессы с первой тележкой спиртного. Они спешили выпить за большой успех конгресса и лишний раз напомнить друг другу, что бряцающий оружием Госдеп аннулировал их визы и до срока отправил домой именно потому, что они последовательно отстаивали дело мира. Он и сам нетерпеливо поджидал стюардессу с тележкой, хотя и по другой причине. Ему хотелось забыть все, что произошло. Задернув иллюминатор узорчатой шторкой, он как будто стремился отрезать воспоминания. Да только этому не бывать, сколько ни выпей.

«Водка бывает только двух видов: хорошая и очень хорошая; плохой водки не бывает». Эта истина гуляет от Москвы до Ленинграда, от Архангельска до Куйбышева. Но есть еще и американская водка, напичканная фруктовыми отдушками, подаваемая со льдом, лимоном и тоником, а в коктейлях и вовсе никакая. Так что все же бывает, вероятно, плохая водка.

Во время войны, нервничая в преддверии дальней дороги, он иногда ходил на сеансы гипноза. Надо было сделать это перед недельной поездкой в Америку, затем найти похожую ежедневную возможность в Нью-Йорке и обязательно воспользоваться ею напоследок, перед обратным перелетом. А еще лучше — пусть бы посадили его в деревянную клеть с недельным запасом колбасы и водки, выгрузили в аэропорту Ла-Гуардия и загрузили на борт перед обратным рейсом.

Итак, Дмитрий Дмитриевич, как прошла поездка? Спасибо, прекрасно, увидел все, что хотел, да и компания подобралась на редкость приятная.

Во время обратного перелета соседнее место занял его официальный заступник, надзиратель, переводчик и вот уже сутки как новоявленный лучший друг. Куривший, естественно, «Беломор». Когда им принесли меню на английском и французском, пришлось обратиться к нему за переводом. В правом столбце перечислялись спиртные напитки, включая коктейли, и табачные изделия. В левом столбце, насколько можно было понять, значилась еда, верно? Нет, ответили ему, это прочие товары, которые приносят по заказу. Начальственный перст скользнул вниз по списку. Домино, шашки, кости, нарды. Газеты, журналы, писчебумажные принадлежности, открытки. Электробритва, пузырь со льдом, швейный набор, аптечка, жевательная резинка, зубные щетки, гигиенические салфетки.

— А это? — поинтересовался он, указав на единственную непереведенную строчку.

Вызвали стюардессу; последовало длинное объяснение. Наконец ему ответили:

— Ингалятор с бензедрином.

— Ингалятор с бензедрином?

— Для наркоманов-капиталистов, готовых обделаться при взлете и посадке, — с определенным идеологическим высокомерием растолковало ему официальное лицо.

При взлете и посадке он и сам обмирал от страха — не капиталистического, разумеется. Вероятно, он бы даже испробовал это упадочническое западное изобретение, кабы не уверенность, что сей факт тотчас же будет зафиксирован в его личном деле.

Страх: что смыслят в нем те, кто запугивает других? Они понимают, насколько это мощное средство и как оно действует, но не прочувствовали его на своей шкуре. Не зря говорится: худо овцам, где волк воевода. Пока сам он в Санкт-Ленинбурге ждал повестку из Большого дома, в Москве готовился к аресту Ойстрах. Скрипач рассказывал, как из ночи в ночь забирали какого-нибудь соседа. Массовых арестов не было: сегодня ночью одна жертва, завтра другая; это работала машина по нагнетанию страха среди оставшихся, среди временно уцелевших. Мало-помалу забрали всех жильцов; не тронули только две квартиры: Ойстраха и его соседей по площадке. И вот милицейский фургон подкатил вновь: они услышали, как хлопнула входная дверь, как по лестничной клетке гулко разнеслись шаги... и остановились у квартиры напротив. С той самой минуты, говорил Ойстрах, он боится постоянно и не перестанет бояться до конца своих дней.

Только сейчас, на обратном пути, соглядатай оставил его в покое. До Москвы лететь тридцать часов, с посадками на Ньюфаундленде, в Рейкьявике, во Франкфурте и в Берлине. Зато с комфортом: кресла удобные, шум не слишком назойливый, стюардессы ухоженные. Обед подали на фарфоровых тарелках, с льняными салфетками и тяжелыми столовыми приборами. Здоровенные креветки, гладкие и толстые, как политиканы, купались в соусе. Бифштекс, в толщину почти такой же, как в ширину, с грибами, картофелем и стручковой фасолью. Фруктовый салат. Поел, но еще охотнее выпил. Хмелел он теперь не так быстро, как в юности. Один виски с содовой, другой — никакого эффекта. Никто его не одергивал — ни экипаж, ни попутчики, которые ощутимо развеселились — как видно, тоже себе не отказывали. Затем последовал кофе, в салоне будто стало теплее, и всех, в том числе и его самого, сморил сон.

Чего он ожидал от поездки в Америку? Ожидал знакомства со Стравинским. Хотя умом понимал: это мечта, пустая фантазия. Перед музыкой Стравинского он благоговел. Старался не пропускать ни одного представления «Петрушки» в Мариинском. Был вторым фортепиано на советской премьере «Свадебки», исполнял со сцены «Серенаду ля мажор», сделал переложение «Симфонии псалмов» для фортепиано в четыре руки. Если и был в двадцатом веке композитор, который заслуживал называться великим, так это Стравинский. «Симфония псалмов» — одно из самых блестящих произведений за всю историю музыки. Вне всякого сомнения.

Однако Стравинский знакомиться не пожелал. Прислал заносчивую, широко растиражированную телеграмму: «Сожалею, что не могу присоединиться к тем, кто приветствует визит советских артистов в нашу страну. Но мои этические и эстетические убеждения не позволяют мне сделать этот жест».

А чего, собственно, было ждать от Америки? Конечно, не зрелища карикатурных капиталистов, которые, обрядившись в цилиндры и звездно-полосатые жилеты, маршируют по Пятой авеню и попирают ногами голодающий пролетариат. И не зрелища хваленой страны свободы — он сомневался, что где-нибудь на земле существует такое место. Вероятно, ему представлялось некое сочетание технического прогресса, общественного согласия и трезвого образа жизни, позволившее нации первопроходцев быстрыми шагами прийти к обогащению. По следам своей поездки через всю страну Ильф и Петров написали, что Америка навевает на них скуку и тоску, хотя американцам нравится. Кроме того, они отметили, что американцы, вопреки их собственной пропаганде, натуры пассивные, поскольку им все преподносится в консервированном виде, от идей до продуктов. Даже неподвижные коровы на пастбищах смахивали на рекламу сгущенки.

Первое, что его удивило, — это повадки американских журналистов. Уже в аэропорту Франкфурта на пути в Штаты устроил засаду их передовой отряд. В композиторское лицо полетели вопросы, уткнулись камеры. Репортеров, этаких носителей высших ценностей, отличала бесцеремонная веселость. Ну не могут они выговорить твою фамилию — значит фамилия виновата и нужно ее урезать.

— Шости, Шости, обернись на минуту, я тебя сниму! Шляпой помаши!

Хотя нет, это было позже, в аэропорту Ла-Гуардия. Он послушно снял шляпу и помахал ею по примеру остальных делегатов.

— Эй, Шости, улыбочка!

— Шости, как вам Америка?

— Хелло, Шости, кого вы предпочитаете: блондинок или брюнеток?

Даже на этот счет полюбопытствовали. Если дома за тобой следят курильщики «Беломора», то в Америке за тобой следит пресса. Сразу после приземления стюардессу взяли в кольцо и принялись расспрашивать насчет поведения советской делегации во время рейса. Девушка отвечала, что делегаты общались между собой, охотно пили сухой мартини и виски с содовой. И такие сведения — кому это интересно? — напечатала «Нью-Йорк таймс»!

Но сначала о положительных моментах. Он набил чемодан пластинками и американскими сигаретами. Прослушал три квартета Бартока в исполнении джульярдовцев и зашел к ним за кулисы познакомиться. Побывал на концерте Нью-Йоркского филармонического оркестра под управлением Стоковского (исполняли Пануфника, Верджила Томсона, Сибелиуса, Хачатуряна и Брамса).

Даже сам выступил: своими маленькими, «не пианистическими» руками сыграл вторую часть собственной Пятой симфонии в Мэдисон-сквер-гарден в присутствии пятнадцати тысяч слушателей. Аплодировали оглушительно, неудержимо, словно с кем-то конкурировали. Что ж, Америка — родина конкуренции; быть может, они хотели доказать, что способны хлопать дольше и громче советских меломанов. Это даже смутило его и — кто знает? — возможно, что Госдепартамент тоже. Пообщался с американскими деятелями культуры; его весьма сердечно встретили Аарон Копленд, Клиффорд Одетс, Артур Миллер и начинающий литератор по фамилии Мейлер. Получил солидный, за подписями сорока двух музыкантов — от Арти Шоу до Бруно Вальтера — документ с благодарностью за визит. На этом хорошее заканчивалось, ложки меда в бочке дегтя иссякли.

Он надеялся остаться в тени, но, к своему отчаянию, стал знаменем советской делегации. В пятницу вечером произнес краткую речь, в субботу вечером — продолжительную. Отвечал на вопросы, позировал фотографам. С ним носились как с писаной торбой, это было публичным признанием успеха, но в то же время и величайшим позором его жизни. Он испытал только отвращение и презрение к самому себе. Ловушку ему расставили безупречно, из двух не связанных между собой частей. С одной стороны — коммунисты, с другой — капиталисты, и он посредине. А куда деваться — пришлось сновать по ярко освещенным лабиринтам какого-то эксперимента, в котором чередой распахиваются дверцы и тут же захлопываются у тебя за спиной.

А началось все опять же из-за очередного сталинского визита в оперу. Что это — ирония судьбы? Опера исполнялась даже не его, а Мурадели, но это не имело ровным счетом никакого значения, ни в конечном итоге, ни, между прочим, с самого начала. Естественно, на дворе был високосный год: тысяча девятьсот сорок восьмой.

Банально утверждать, что тирания переворачивает мир вверх дном; однако это чистая правда. За минувшие двенадцать лет, с тридцать шестого по сорок восьмой, он чувствовал себя в безопасности только во время Великой Отечественной. Не было бы счастья, да несчастье помогло. Гибли миллионы и миллионы людей, но, по крайней мере, страдания были всенародными, и в этом заключалось его временное спасение. Тирания, если даже она параноидальна, вовсе не обязана быть глупой. В противном случае она бы не выстояла; будь у нее принципы, она бы тоже не выстояла. В механизмах общества тирания умела распознать слабое звено. Она годами уничтожала священников и закрывала церкви, но если солдаты более яростно били врага с благословения священников, значит священников, покуда в них оставалась нужда, следовало возвращать в приходы.

И если в военное лихолетье народу для поднятия боевого духа требовалась музыка, значит и композиторов приставляли к делу.

А раз государство шло на уступки, то и граждане тоже. Он выступал с политическими заявлениями, которые составляли для него другие, однако до какой же степени все перевернулось с ног на голову: он мог подписаться если не под каждым оборотом речи, то под каждой фразой. На антифашистских митингах работников искусств он говорил о «нашей великой битве с германскими вандалами» и о «миссии по освобождению человечества от коричневой чумы». Призывал, будто бы устами самой власти: «Все для фронта, все для победы», вещал авторитетно, свободно, убедительно. «Настанут лучшие времена», — вторя Сталину, сулил он коллегам по творческому цеху.

Коричневая чума не миновала и Вагнера — композитора, всегда служившего флюгером Власти. На протяжении нынешнего века мода на него менялась в зависимости от политики текущего момента. С подписанием пакта Молотова — Риббентропа матушка Россия вопреки здравому смыслу распахнула объятия новому фашиствующему союзнику, как пожилая истосковавшаяся вдова — крепкому молодому соседу. Вагнер тотчас же вновь сделался великим композитором, и Эйзенштейну приказали поставить на сцене Большого «Валькирию». Не прошло и двух лет, как Гитлер напал на Советский Союз, и Вагнер опять стал презренным фашистом, коричневой нечистью.

Вся эта мрачная комедия заслоняла один кардинальный вопрос, который Пушкин вложил в уста Моцарта:

А гений и злодейство —
Две вещи несовместные. Не правда ль?

Можно согласиться: да, правда. Вагнер был низок душой, а этого не скроешь. Ярый антисемит, он проникся расовой непримиримостью во всех ее видах. А потому при всем пафосе и великолепии своей музыки не может считаться гением.

Почти вся война прошла для них в Куйбышеве. Там было безопасно, а когда к ним присоединилась его мать, которая эвакуировалась из Ленинграда, тревоги немного улеглись. Да и кошки не так скребли душу. Конечно, его, как патриота и члена Союза композиторов, часто вызывали в Москву. Он брал в поезд водку и чесночную колбасу, чтобы хватило на всю поездку. «Нет на свете лучше птицы, чем свиная колбаса», как говорят украинцы. Составы застревали на несколько часов, а то и суток; никто не мог угадать, когда движение поездов прервет внезапная переброска войск или нехватка угля.

Ездил он в мягком вагоне, так было спокойнее, потому что плацкартные вагоны напоминали потенциальные тифозные бараки на колесах.

Чтобы не заразиться, он носил на шее и на запястьях дольки чеснока. «Запах отпугивает девушек, — объяснял он, — но в военное время приходится с этим мириться».

Как-то раз возвращался он из Москвы вместе с... нет, сейчас уже не вспомнить. Через двое суток пути состав замедлил ход на каком-то пыльном полустанке. Они открыли окно и высунулись. В глаза ударило рассветное солнце, а в уши — разухабистая песня нищего. С ним, кажется, поделились они колбасой. Или водкой? Или мелочью? Почему в голове сохранились полувоспоминания о том длинном перроне, о том нищем — одном из тысяч? Прозвучала ли там какая-то шутка? Но кто именно ее отпустил? И в чем соль? Нет, уже не вспомнить.

Никак не вспомнить и малопристойную вагонную песню нищего. Вместо нее в голову лезет солдатская песня прошлого века. Мелодии он не знает — только слова, врезавшиеся когда-то в память при беглом просмотре переписки Тургенева:

Матушка Россия
Не берет насильно,
А все добровольно,
Наступя на горло.

Тургенев ему не близок: интеллигентности в избытке, а воображения не хватает. То ли дело Пушкин, Чехов, а в особенности Гоголь. Но даже

Тургенев, при всех своих недостатках, впитал в себя традиционный русский пессимизм. Более того, понимал, что быть русским — значит быть пессимистом. А еще считал, что русского как ни скобли — все равно окажется русский. Этого так и не смогли понять Карло-Марло и компания. Они хотели быть инженерами человеческих душ, но, что ни говори, русские люди — не токарные болванки. Их не обрабатывать, а отскабливать впору. Скоблить, скоблить, скоблить, чтобы счистить всю эту старославянщину и раскрасить по-новому, ярко, по-советски. Но не тут-то было: только начнешь кистью водить, а краска уже осыпается.

Быть русским человеком — значит быть пессимистом; быть советским человеком — значит быть оптимистом. Поэтому выражение «Советская Россия» внутренне противоречиво. Власть этого никогда не понимала. По ее мнению, достаточно истребить определенное количество граждан, а остальных посадить на диету из пропаганды и террора, чтобы оптимизм возник сам собой. Где логика? И точно так же Власть ему внушала — разными способами и словами, через чинуш от музыки и через газетные передовицы, — что ей требуется «оптимистический Шостакович». Очередное терминологическое противоречие.

Вообще говоря, одной из немногих сфер, где оптимизм мирно соседствует с пессимизмом (и более того, их соседство — залог выживания), остается семья. Вот, например, он любит Ниту (оптимизм), но далеко не уверен, что стал ей хорошим мужем (пессимизм). Его гложет тревога, но понятно же, что тревога делает человека эгоистичным и тяжелым в общении. Нита уходит на работу, но стоит ей приехать в институт, как он начинает изводить ее телефонными звонками и допытываться, когда она будет дома. Понятно, что это кого угодно может вывести из себя, но тревога одерживает над ним верх.

Он любит своих детей (оптимизм), но далеко не уверен, что стал им хорошим отцом (пессимизм). Порой возникает ощущение, что любовь к детям у него чрезмерна, даже сродни патологии. Что ж поделаешь: жизнь прожить — не поле перейти.

Галя и Максим приучены говорить правду, соблюдать вежливость. Он всегда прививал им хорошие манеры. С младых ногтей внушал Максиму, что вверх по лестнице следует идти впереди женщины, а спускаясь, пропускать женщину вперед. Когда у них появились велосипеды, он заставил детей выучить правила дорожного движения и придерживаться их даже на безлюдных лесных дорожках: левой рукой показывать левый поворот, правой рукой — правый. В Куйбышеве он следил, чтобы по утрам сын с дочерью делали зарядку. Включал радио, и они втроем выполняли упражнения под задушевные команды диктора Гордеева. «Отлично! Ноги на ширине плеч! Первое упражнение...» И так далее.

Если не считать этой физкультурной родительской обязанности, тело свое он не тренировал; он всего лишь существовал в телесной оболочке. Кто-то из знакомых показал ему гимнастику для интеллигенции. Разбрасываешь по полу коробок спичек, а потом наклоняешься и по одной собираешь. В первый раз ему не хватило терпения: он пригоршнями сгребал спички с пола и кое-как засовывал в коробок. На другой день он повторил попытку, но тут некстати зазвонил телефон, и его срочно куда-то вызвали, так что собирать спички пришлось домработнице.

Нита увлекается альпинизмом и лыжами, а его от ощущения предательского снега под лыжами охватывает неукротимый страх. Жена любит смотреть бокс, а он не выносит зрелища избиения — чуть ли не до смерти — одного человека другим. Не овладел он даже танцами — той формой движения, которая наиболее близка к его профессии. Сочинить польку, задорно сыграть ее на рояле — это пожалуйста, но на танцевальной площадке у него заплетались ноги.

Он любит пасьянсы раскладывать — они успокаивают; в картишки раньше любил перекинуться, если только игра шла на деньги. Не созданный, по причине отсутствия выносливости и координации, для занятий спортом, он тем не менее полюбил судейство. Еще до войны, в Ленинграде, получил удостоверение футбольного арбитра. Во время куйбышевской эвакуации организовывал и судил турниры по волейболу. Торжественно повторял где-то подхваченную английскую фразу: «It is time to play volleyball»[1].

[1] «Пора играть в волейбол» *(англ.)*.

А потом добавлял любимое заверение спортивных комментаторов: «Матч состоится при любой погоде».

Галю и Максима наказывали редко. Любой проступок или обман вызывал у родителей состояние крайней обеспокоенности. Нита хмурилась и укоризненно смотрела на детей, а он начинал беспрерывно курить и метаться по квартире. Эта немая сцена душевных мук обычно сама по себе служила карательной мерой и других не требовала. А кроме того, вся страна сделалась сплошной карательной мерой, так стоило ли раньше времени знакомить ребенка с тем, что он и без того будет наблюдать в избытке всю свою жизнь?

И все же без серьезных провинностей не обходилось. Однажды Максим изобразил падение с велосипеда, сделал вид, что расшибся и потерял сознание, но при виде родительского ужаса тут же вскочил и залился хохотом. В подобных случаях Максиму (отличался, как правило, Максим) говорилось: «Зайди, пожалуйста, ко мне в кабинет. У меня к тебе серьезный разговор». Но даже эти простые слова сын воспринимал болезненно. У себя в кабинете он приказывал Максиму в письменном виде изложить суть своей провинности, дать обещание никогда больше так не делать, а внизу расписаться и поставить дату. Если же провинность повторялась, он доставал из ящика стола прошлую объяснительную записку и требовал, чтобы Максим прочел ее вслух. При этом ребенок испытывал такой жгучий стыд, что это наказание словно бы оборачивалось против отца.

С эвакуацией связан и ряд светлых воспоминаний, совсем простых: как он и Галя играли с поросятами и эти щетинистые комочки с сопением норовили выскользнуть из рук; как Максим изображал болгарского полицейского, который завязывает шнурки. На лето семья перебиралась в Иваново, где в бывшей усадьбе на территории Птицеводческого колхоза номер шестьдесят девять располагался эвакуированный Дом композиторов. Не все ли равно, где работать. Здесь, за столом, представляющим собой доску, приколоченную к внутренней стене бывшего курятника, рождалась на свет его Восьмая симфония. Работать он может в любых условиях, среди беспорядка и неудобств. Это просто спасение. Других отвлекают звуки нормальной жизни. Прокофьев злобно гонял Максима и Галю, если дети хоть както обнаруживали свое присутствие за стенкой, а вот сам он на шум не реагирует. Единственное, что ему досаждает, — это собачий лай: настырный, истерический, вспарывающий музыку прямо в голове. Поэтому он предпочитает кошек. Кошки нисколько не мешают сочинять музыку.

Люди, с ним не знакомые или далекие от музыкальных кругов, считали, вероятно, что нанесенная ему в тридцать шестом году травма осталась далеко в прошлом. Он совершил серьезную ошибку, написав «Леди Макбет Мценского уезда», и Власть, как положено, его раскритиковала. В качестве покаяния он сочинил творческий ответ советского художника на справедливую критику. Позже, во время войны, написал Седьмую симфонию, чей антифашистский посыл волной прокатился по всему миру. А посему он был прощен.

Но те, кому знакомы механизмы религии, а стало быть, и Власти, понимали, что к чему. Грешника можно и обелить, но это не значит, что грех как таковой стерт раз и навсегда, отнюдь нет. Если самый маститый отечественный композитор совершает подобные грехи, то насколько пагубно их влияние, насколько опасны они для окружающих? Грехи нельзя оставлять анонимными и забывать; их нужно привязывать к именам и сохранять в памяти, чтобы другим неповадно было. А посему «Сумбур вместо музыки» отразили в школьных учебниках и включили в консерваторский курс истории музыки.

Да и главному грешнику недолго оставалось плыть по жизни без руля и без ветрил. Кто искушен в богослужебной риторике, кто с должным вниманием изучил формулировки редакционной статьи в «Правде», тот не мог не заметить косвенной отсылки к музыке для кино. В свое время Сталин высоко оценил созданное Дмитрием Дмитриевичем музыкальное сопровождение трилогии о Максиме, а Жданов, как известно, по утрам будил жену, наигрывая на рояле «Песню о встречном». С точки зрения партийно-правительственной верхушки, у Дмитрия Дмитриевича еще не все было потеряно; он сохранял способность сочинять — *под неусыпным руководством* — понятную, реалистичную музыку. Искусство, как постановил Ленин, принадлежит народу, причем из всех искусств важнейшим для советского человека является кино, а отнюдь не опера. А посему Дмитрий Дмитриевич нынче трудился под неусыпным руководством — и вот результат: в сороковом году ему вручили орден Трудового Красного Знамени за музыку к кинофильмам. Если он будет и впредь идти верной дорогой, то за этой наградой непременно последуют многие другие.

Пятого января тысяча девятьсот сорок восьмого года, через двенадцать лет после краткого появления на оперном спектакле «Леди Макбет», Сталин и сопровождающие его лица вновь почтили своим присутствием Большой театр, на сей раз — чтобы послушать оперу Вано Мурадели «Великая дружба». Композитор, а по совместительству председатель Музфонда гордился своим гармоничным, патриотическим произведением, проникнутым духом соцреализма. Опера, заказанная к тридцатой годовщине Октября, уже два месяца с большим успехом шла на главных сценических площадках. Ее фабулу составляло укрепление советской власти на Северном Кавказе в период Гражданской войны.

Грузин по рождению, Мурадели знал историю своего народа; к несчастью для композитора, Сталин, тоже сын Грузии, знал историю гораздо лучше. Мурадели показал, как грузины и осетины противостояли Рабоче-Крестьянской Красной армии, тогда как Сталин — не в последнюю очередь потому, что мать его была осетинкой, — располагал доподлинными сведениями о том, что с восемнадцатого по двадцатый год грузины и осетины рука об руку с российскими большевиками сражались за дело Революции. А контрреволюционную деятельность вели чеченцы и ингуши, которые являлись помехой для укрепления дружбы народов будущего Советского Союза.

К этой историко-политической ошибке у Мурадели добавилась столь же непростительная музыкальная. В свою оперу он включил лезгинку, твердо зная, что это любимый танец Сталина. Но вместо того, чтобы выбрать подлинную, всем знакомую лезгинку и тем самым прославить богатство культурных традиций Кавказа, композитор самонадеянно решил изобрести собственный танец «в духе лезгинки».

Через пять дней Жданов провел совещание деятелей советской музыки с участием семидесяти композиторов и музыковедов с целью обсуждения непрекращающегося тлетворного влияния формализма; еще через несколько дней Политбюро ЦК ВКП(б) опубликовало официальное постановление «Об опере „Великая дружба“ В. Мурадели». Из него автор заключил, что его музыка далеко не столь гармонична и патриотична, как ему думалось, да еще при этом крякает и ухает почище, чем у некоторых. Его тоже заклеймили отъявленным формалистом за «увлечение сумбурными, невропатическими сочетаниями» и потакание вкусам узкой прослойки «специалистов и музыкальных гурманов». Торопясь спасти свою шкуру, не говоря уже о карьере, Мурадели не нашел ничего лучше, как выступить с заявлением. Его, дескать, совратили, сбили с пути истинного — в первую голову Дмитрий Дмитриевич Шостакович, а если конкретно, то сочинение указанного композитора, «Леди Макбет Мценского уезда».

Товарищ Жданов еще раз напомнил отечественным музыкальным деятелям, что критика, прозвучавшая в тридцать шестом году в редакционной статье газеты «Правды», не утратила своей актуальности: народу требуется гармоничная, приятная слуху музыка, а не «сумбур». Неблагополучное состояние современной советской музыки докладчик связал с такими фигурами, как Шостакович, Прокофьев, Хачатурян, Мясковский и Шебалин. Их музыку он сравнил со звуками бормашины и «музыкальной душегубки».

Жизнь вошла в послевоенное русло, а значит, мир вновь перевернулся с ног на голову; вернулся Террор, а вместе с ним вернулось безумие. На внеочередном съезде Союза композиторов один музыковед, провинившийся тем, что по наивности написал хвалебную книгу о Дмитрии Дмитриевиче, в униженном отчаянии заявил, что ноги его никогда не было в доме Шостаковича. Подтвердить это заявление он попросил композитора Юрия Левитина. Левитин «с чистой совестью» показал, что данный музыковед никогда не дышал тлетворным воздухом квартиры главного формалиста.

На съезде мишенью критики сделались его Восьмая симфония и Шестая симфония Прокофьева. Темой обеих была война, трагическая и страшная, как показывали эти опусы. Но композиторам-формалистам недоставало понимания — как же мало они понимают, — что война величественна и триумфальна, она заслуживает прославления! А эти двое впадают в «нездоровый индивидуализм» и «пессимизм». Участвовать в съезде Союза композиторов он не собирался. Потому что приболел. Но на самом деле потому, что был близок к самоубийству. Направил съезду письмо с извинениями. Извинения были отклонены. Более того, съезд заявил о намерении продолжать работу вплоть до личной явки записного рецидивиста Дмитрия Дмитриевича Шостаковича: в случае необходимости предполагалось созвать консилиум с целью диагностики и лечения. «И от судеб защиты нет» — отправился он на съезд. Его предупредили, чтобы готовился к публичному покаянию. Идя к трибуне, он пытался придумать, что бы такое сказать, и тут ему в руку сунули готовый текст речи. Он монотонно бубнил в микрофон. Обещал в будущем писать мелодичную музыку для Народа, следуя указаниям Партии. В середине своего выступления поднял голову от официальной бумажки, обвел глазами зал и беспомощно выговорил:

— Мне всегда кажется, что, когда я пишу искренне и так, как чувствую, тогда моя музыка не может быть «против» Народа и что в конечном счете я и сам — представитель... пусть в малой степени... нашего Народа.

Со съезда он вернулся в полубессознательном состоянии. Его сместили с профессорских постов в консерваториях Москвы и Ленинграда. Он подумал, что лучше, наверное, лечь на дно. Однако вместо этого взялся — по примеру Баха — писать прелюдии и фуги. Естественно, первым делом им устроили разнос: его обвинили в искажении «окружающей действительности». А он все не мог забыть слова — отчасти свои собственные, отчасти напечатанные для него на бумажке, — которые слетали у него с языка в последние недели. Он не просто принял критику своих произведений, но и встретил ее аплодисментами. По сути дела, он отрекся от «Леди Макбет». И вспомнил, что сказал в свое время знакомому композитору о честности художественной и честности личной, а также о роли каждой.

Теперь, после годичной опалы, у него состоялся Второй Разговор с Властью. Гром, вопреки известной поговорке, грянул из тучи, а не из навозной кучи. Шестнадцатого марта сорок девятого года сидели они дома с Ниной и композитором Левитиным. Зазвонил телефон; он снял трубку, послушал, нахмурился и объявил жене и гостю:

— Сталин будет говорить.

Нита ринулась в другую комнату к параллельному аппарату.

— Дмитрий Дмитриевич, — раздался голос Власти, — как ваше здоровье?

— Спасибо, Иосиф Виссарионович, все хорошо. Только живот побаливает.

— Это не дело. Вас осмотрит доктор.

— Да нет, спасибо. Мне ничего не нужно. У меня все есть.

— Что ж, хорошо.

Наступила пауза. Потом тот же голос с сильным грузинским акцентом, что ни день звучавший из миллионов громкоговорителей и радиоточек, осведомился, известно ли ему, что в Нью-Йорке намечается Всемирный конгресс деятелей науки и культуры в защиту мира. Он ответил: да, известно.

— И что вы по этому поводу думаете?

— Я думаю, Иосиф Виссарионович, что мир всегда лучше войны.

— Хорошо. Значит, вы с радостью войдете в состав нашей делегации.

— Нет, к сожалению, я не смогу.

— Вы не сможете?

— Мне уже задавал этот вопрос товарищ Молотов. Я сказал ему, что неважно себя чувствую и полететь не смогу.

— В таком случае, повторяю, мы пришлем к вам доктора.

— Дело не в этом. Меня сильно укачивает. Я не выношу перелеты.

— Это не проблема. Доктор пропишет вам таблетки.

— Спасибо за вашу заботу.

— Значит, вы согласны?

Он умолк. Какая-то часть сознания подсказывала, что один неверный слог может привести его в лагеря, а другая часть, как ни удивительно, страха не чувствовала.

— Нет, я действительно не смогу, Иосиф Виссарионович. По другой причине.

— Да?

— У меня фрака нет. Без фрака невозможно выступать перед публикой. Сожалею, но в данный момент я не располагаю средствами.

— Фрак — это не в моей прямой компетенции, Дмитрий Дмитриевич, но я уверен, что в ателье Управления делами ЦК партии концертный костюм вам обеспечат, не переживайте.

— Но, к сожалению, есть и другая причина.

— Что же является истинной причиной вашего отказа от поездки?

Да, вполне возможно, что Сталин знал не все.

— Видите ли, дело в том, что положение у меня весьма непростое. Там, в Америке, мои сочинения звучат постоянно, а у нас — нет. Мне будет трудно отвечать на провокационные вопросы американских корреспондентов. Как я поеду, когда моя музыка у нас не исполняется?

— Что вы имеете в виду, Дмитрий Дмитриевич? Почему ваши произведения не исполняются?

— Они запрещены. Наряду с произведениями некоторых других членов Союза композиторов.

— Запрещены? Кто запретил?

— Главрепертком. Еще в прошлом году, четырнадцатого февраля. Существует целый перечень сочинений, запрещенных к исполнению. Из-за этого концертные организации, как вы понимаете, Иосиф Виссарионович, отказываются включать в программы и остальные мои произведения. А музыканты боятся их играть. Так что меня, можно сказать, внесли в черный список. И ряд моих коллег тоже.

— От кого конкретно исходило такое указание?

— По всей видимости, от правительства.

— Нет, — отозвался голос Власти. — Мы таких указаний не давали.

Власть погрузилась в раздумья; он не мешал.

— Нет. Это ошибка. Мы призовем к порядку товарищей цензоров. Ни одно из ваших сочинений не запрещено. Их можно исполнять беспрепятственно. Как всегда.

Чуть ли не в тот же день ему, как и другим композиторам, прислали копию первоначального постановления. К ней был прикреплен документ, в котором данное постановление отменялось как ошибочное, а Главреперткому объявлялся выговор. На документе стояла подпись: «Председатель Совета министров СССР И. Сталин».

А посему пришлось лететь в Нью-Йорк.

По его наблюдениям, грубость и тирания всегда идут рука об руку. Он для себя отметил, что Ленин, когда надиктовывал свое политическое завещание и рассматривал кандидатуры возможных преемников, подчеркнул, что Сталин «слишком груб». Возмутительно, кстати, что в музыкальном мире дирижеров подчас восторженно называют «диктаторами». Грубить оркестранту, который старается, как может, недопустимо. А сами тираны, эти повелители дирижерской палочки, упиваются своим хамством, как будто оркестр только тогда хорошо играет, когда его погоняют кнутом издевок и унижений.

Всех переплюнул Тосканини. Вживую этого дирижера он не видел — знал его только по записям. У того все было не так: темп, дух, нюансировка... Тосканини рубил музыку, как винегрет, да еще поливал отвратным соусом. Это не на шутку злило. Однажды «маэстро» прислал ему запись Седьмой симфонии. В ответном письме пришлось указать на многочисленные недочеты исполнения. Получил ли великий дирижер это письмо, а если получил, то вник ли в его суть, так и осталось неизвестным. Счел, видимо, что в письме по определению должны содержаться одни дифирамбы, потому как довольно скоро в Москву прилетела радостная весть: Дмитрий Дмитриевич Шостакович избран почетным членом Тосканиниевского общества! И сразу на него посыпались бандероли с подарочными граммофонными записями музыкальных произведений под управлением именитого погонщика рабов. Пластинки эти он даже не слушал, а просто складывал в стопку, чтобы потом передарить. Не друзьям, конечно, а кое-кому из знакомых, людям особого сорта, которые, как он знал наперед, будут в восторге.

Дело было не в *amour propre*[1] и касалось, собственно, не только музыки. Некоторые дирижеры орали и матерились на оркестрантов, закатывали сцены, грозились уволить первого кларнетиста за опоздание. А оркестранты, вынужденные с этим мириться, распускали байки за спиной у дирижера, выставляя того «настоящим зверем». Со временем они и сами начинали разделять убеждение этого повелителя палочки в том, что могут сносно играть только под свист кнута. Это сбившееся в кучу стадо мазохистов, которые нет-нет да и обменивались между собой ироническими замечаниями, в целом восхищалось своим вожаком за его благородство и высокие идеалы, понимание цели, способность к более широкому взгляду, нежели у того, кто корпит у себя в кабинете, протирая штаны за письменным столом. Пусть маэстро изредка, только в силу необходимости, проявляет крутой нрав, но он — великий вожак, за ним нужно следовать. И кто после этого станет отрицать, что оркестр — это микрокосм, слепок общества?

Когда таким дирижерам, готовым наорать даже на партитуру, мерещилась ошибка или погрешность, у него, как у композитора, был наготове ритуальный, вежливый ответ, за долгие годы отточенный до совершенства.

---

[1] Самомнении *(фр.)*.

Ему представлялся следующий диалог.

Власть: Послушайте, мы сделали революцию!

Гражданин Второй Гобой: Да, конечно, ваша революция прекрасна. Это гигантский шаг вперед по сравнению с тем, что было прежде. В самом деле, огромное достижение. Только вот время от времени меня посещает мысль... Возможно, я глубоко заблуждаюсь... но так ли уж необходимо расстреливать всех этих инженеров, военачальников, ученых, музыковедов? Гноить миллионы в лагерях, используя сограждан как рабов и загоняя их до смерти, всем и каждому внушать страх, выбивать ложные признания — и все под знаменем революции? Сотни людей каждую ночь ждут, что их выдернут из постели, заберут в Большой дом или на Лубянку, под пытками вынудят подписать сфабрикованные доносы, а потом убьют выстрелом в затылок? Поймите, я просто недоумеваю.

Власть: Да-да, мне понятна ваша позиция. Вы совершенно правы. Но давайте пока оставим как есть. А к следующему разу я учту ваше замечание.

Не один год он произносил за новогодним столом свой обычный тост. Триста шестьдесят четыре дня в году страна волей-неволей ежедневно внимала безумным заверениям Власти: что все к лучшему в этом лучшем из миров; что рай на земле уже построен — ну или вот-вот будет построен, как только срубим очередной лес, и вокруг разлетятся миллионы щепок, и останется всего ничего — расстрелять еще пару тысяч вредителей. Что настанут лучшие времена — нет, вроде бы уже настали. А на триста шестьдесят пятый день он, поднимая бокал, торжественно говорил: «Выпьем за то, чтобы только не лучше!»

Россия, конечно, и прежде знавала тиранов; из-за этого в народе пышным цветом расцвела ирония. Как говорится, «Россия — родина слонов». Все изобретения были сделаны в России, потому что... ну, во-первых, это Россия, где предрассудками никого не удивишь; а во-вторых, потому, что нынче это уже Советская Россия, страна с самым высоким уровнем общественного развития за всю историю человечества: естественно, все открытия делаются именно здесь. Когда автомобильный концерн Форда отказался от выпуска «Модели „А“», Страна Советов скупила все производственные мощности, и — о чудо! — миру явились подлинные, разработанные в СССР двадцатиместные автобусы и легкие грузовики! То же самое — в тракторостроении: с американских конвейеров, вывезенных из Америки и собранных американскими специалистами, вдруг стали сходить трактора отечественного производства. Или, например, скопировали фотоаппарат «лейка» — и тут же родился ФЭД, названный так в честь Феликса Эдмундовича Дзержинского и оттого совсем уж отечественный. Кто сказал, что время чудес прошло? И ведь все перечисленное достигнуто за счет названий — их преобразующая сила поистине революционна. Или взять, к примеру, всем известный французский батон. Многие годы только так его и называли. Но в один прекрасный день французский батон с прилавков исчез. Вместо него появился «городской батон» — естественно, один к одному, но уже в качестве патриотического продукта советских городов.

Когда говорить правду стало невозможно (поскольку это каралось смертью), пришлось ее маскировать. В еврейской народной традиции маской отчаяния служит танец. А здесь маской правды сделалась ирония. Потому что на нее слух тирана обычно не настроен. Поколение старых большевиков, которые делали Революцию, того не понимало; отчасти по этой причине среди них было особенно много жертв. Нынешнее поколение, его собственное, улавливало ситуацию на интуитивном уровне. А посему, дав согласие лететь в Нью-Йорк, он на следующий же день написал письмо следующего содержания:

Дорогой Иосиф Виссарионович!

Прежде всего, примите, пожалуйста, мою сердечную благодарность за вчерашний разговор. Вы меня очень поддержали, так как предстоящая поездка в Америку сильно меня беспокоила. Я горжусь оказанным мне доверием и обязуюсь его оправдать. Для меня большая честь выступать от имени великого советского народа за дело мира. Мое недомогание не сможет помешать выполнению столь ответственной миссии.

Ставя свою подпись, он усомнился, что Великий Вождь и Учитель прочтет это самолично. Видимо, ему передадут общий смысл, а письмо подошьют в соответствующую папку и отправят с глаз долой в архив. Там оно, вероятно, исчезнет на десятилетия, а возможно, и на двести миллиардов лет, после чего кто-нибудь его прочтет и станет ломать голову: что же, в самом-то деле, хотел этим сказать отправитель?

В идеале молодой человек не должен быть ироничным. У молодых ирония препятствует развитию, притупляет воображение. Жизнь лучше начинать с открытым забралом, с верой в других, с оптимизмом, с доверительностью ко всем и во всем. А уж потом, придя к пониманию вещей и людей, можно культивировать в себе ироничность. Естественный ход человеческой жизни — от оптимизма к пессимизму, а ироничность помогает смягчить пессимизм, помогает достичь равновесия, гармонии.

Но этот мир не идеален, а потому ирония разрастается здесь неожиданным и странным образом. За одну ночь, как гриб; беспощадно, как раковая опухоль.

Сарказм опасен для того, кто им пользуется, потому что воспринимается как язык саботажника и вредителя. А ирония где-то, в чем-то (надеялся он) дает возможность сохранить все ценное, даже в ту пору, когда шум времени гремит так, что вылетают оконные стекла. И что же для него ценно? Музыка, семья, любовь. Любовь, семья, музыка. Порядок приоритетов может меняться. Способна ли ирония защитить его музыку? Настолько, насколько ирония остается тайным языком, позволяющим пронести ценности мимо нежелательных ушей. Но существовать исключительно в качестве кода она не может: порой в высказывании нужна прямолинейность. Способна ли ирония защитить его детей? Максима, десятилетнего, на школьном экзамене по музыке заставили прилюдно очернять отца. Тогда какой прок от иронии для Гали с Максимом?

А любовь... не его собственные неловкие, сбивчивые, взахлеб, докучливые объяснения в любви, а любовь как таковая: он всегда считал, что любовь как природная стихия несокрушима и что перед лицом нависшей угрозы возможно ее защитить, прикрыть, укутать иронией. Теперь уверенности в этом поубавилось. Коль скоро тирания так преуспела в разрушении, что ей стоит разрушить заодно и любовь, умышленно или походя? Тирания требует любви к партии, к государству, к Великому Вождю и Рулевому, к народу. Но от таких великих, благородных, бескорыстных, безусловных «любовей» отвлекает любовь к единственному человеку, буржуазная и волюнтаристская. И в нынешней обстановке людям постоянно угрожает опасность не сохранить себя целиком. Если их последовательно терроризировать, они мутируют, съеживаются, усыхают — все это приемы выживания. А посему пребывал он не то что в тревоге, а зачастую в лютом страхе: в страхе оттого, что любовь доживает последние дни.

Лес рубят — щепки летят: так приговаривают строители социализма. А вдруг, опустив топор, ты увидишь, что извел весь лес на щепки?

В разгар войны он написал «Шесть романсов на стихи английских поэтов» — из тех произведений, которые запретил Главрепертком, а впоследствии разрешил Сталин. Пятый романс был на шестьдесят шестой сонет Шекспира: «Измучась всем, я умереть хочу...» Как русский человек, он любил Шекспира и хорошо знал его творчество по переводам Пастернака. Когда Пастернак читал со сцены шестьдесят шестой сонет, публика трепетно вслушивалась в первые два четверостишия и напряженно ждала девятой строки:

И вспоминать, что мысли замкнут рот.

В этом месте включались все: кто едва слышно, кто шепотом, самые храбрые — фортиссимо, но никто не сомневался в истинности этих слов, никто не хотел, чтобы его мыслям замыкали рот.

Да, Шекспира он любил; еще до войны написал музыку к спектаклю «Гамлет». Кто бы усомнился в глубоком шекспировском понимании человеческой души, жизненных обстоятельств? Удалось ли хоть кому-нибудь превзойти «Короля Лира» в изображении всеобъемлющего крушения человеческих иллюзий? Нет, не так: не крушения, ведь крушение предполагает внезапный глубинный кризис, а людские иллюзии скорее крошатся, постепенно угасая. Процесс это долгий и мучительный, зубная боль души. Но зуб можно вырвать — и боль пройдет. А иллюзии, уже мертвые, загнивают внутри нас, источая зловоние. Нам никуда не деться от их привкуса и запаха. Мы вечно таскаем их с собой. Он-то — безусловно.

Мыслимо ли не любить Шекспира? Хотя бы за то, что Шекспир любил музыку. Она пронизывает все его пьесы, даже трагедии. Взять хотя бы тот миг, когда Лир под звуки музыки стряхивает с себя безумие... А «Венецианский купец», где Шекспир прямо говорит: тот, у кого нет музыки в душе, способен на грабеж, измену, хитрость, и верить такому нельзя. Потому-то тираны ненавидят музыку, как ни пытаются изображать иное. Впрочем, поэзию они ненавидят еще сильнее. К сожалению, он не смог присутствовать на том вечере ленинградских поэтов, когда при появлении Ахматовой слушатели вскочили как один и устроили овацию. Сталин, когда ему доложили, в бешенстве потребовал ответа: «Кто организовал вставание?» А еще сильнее, чем поэзии, тираны чураются и боятся театра: «Кто организовал вставание?» Шекспир держит зеркало перед природой, а кому охота видеть собственное отражение? Немудрено, что «Гамлет» долгое время оставался под запретом; Сталин не выносил эту трагедию почти так же яростно, как «Макбета».

Однако при всем том Шекспир, не знающий себе равных в изображении стоящих по колено в крови тиранов, был немного наивен. Потому что эти чудовища у него терзались сомнениями, дурными снами, угрызениями совести, чувством вины. Им являлись духи убиенных. Но в реальной жизни, в условиях реального террора, откуда возьмется неспокойная совесть? Откуда возьмутся дурные сны? Это всего лишь сентиментальность, ложный оптимизм, надежда увидеть мир таким, как нам хочется, а не таким, как есть. Среди тех, кто машет топором так, что щепки летят, кто у себя за письменным столом в Большом доме покуривает «Беломор», кто подписывает приказы и делает телефонные звонки, кто ставит точку в твоем деле, а заодно и в жизни, — много ли меж ними таких, кто истерзан дурными снами или хоть раз видел перед собой чей-то укоризненный дух?

Как сказано у Ильфа и Петрова, «надо не только любить советскую власть, надо сделать так, чтобы и она вас полюбила». Его самого советская власть никогда не любила. Происхождение подкачало: из либеральной интеллигенции подозрительного града Санкт-Ленинбурга. Чистота рабоче-крестьянской крови ценилась у советской власти не меньше, чем арийская чистота у нацистов. А кроме того, ему хватало самомнения (или глупости) подмечать и запоминать, что вчерашние слова партии зачастую идут вразрез с сегодняшними. Ему хотелось жить в окружении музыки, родных и друзей — самое простое желание, но совершенно несбыточное. Кому-то постоянно требовалось обрабатывать его душу, равно как и души остальных. Кому-то требовалось, чтобы он перековался подобно рабам-строителям Беломорско-Балтийского канала. Кому-то требовался «оптимистический Шостакович». Мир утопает в крови и навозной жиже, а ты знай улыбайся. Но у художника другая душевная организация: пессимистическая, нервная. Значит, кому-то требуется отлучить тебя от искусства. Однако людей искусства, которые не имеют ничего общего с искусством, и так расплодилось в избытке! Как говорил Чехов, если вам подают кофе, не старайтесь искать в нем пиво.

Да и политические навыки не у всех есть: он, к примеру, не научился лизать сапоги, не умел выгадывать момент, чтобы начать плести сети против безвинных или предавать друзей. Для таких задач лучше подходит кто-нибудь вроде Хренникова. Тихон Николаевич Хренников: композитор с чиновничьей душой. Слух у Хренникова посредственный, зато нюх на власть абсолютный. Поговаривают, будто он — креатура самого Сталина, у которого чутье на подобные назначения. Как говорится, рыбак рыбака...

Кроме всего прочего, Хренникову повезло родиться в семье барышников. Он с детства знал, как угождать покупателям лошадей, а позже — и тем, кто, имея ослиные уши, давал указания по композиции. С середины тридцатых он громил художников куда более самобытных и талантливых, чем какой-то Шостакович, а уж получив от Сталина в сорок восьмом году кресло первого секретаря Союза композиторов, еще и забрал себе официальную власть. Руководил гонениями на формалистов и безродных космополитов, прикрываясь словоблудием, от которого вянут уши. Мешал росту, давил творчество, рушил семьи...

Но его пониманию власти можно только позавидовать; тут ему нет равных. В магазинах висят таблички: «ПРОДАВЕЦ И ПОКУПАТЕЛЬ, БУДЬТЕ ВЗАИМНО ВЕЖЛИВЫ». Но продавец всегда важнее: покупателей много, а он один. Аналогично: композиторов много, а первый секретарь один. Со своими коллегами Хренников держится как продавец, никогда не читавший табличек о вежливости. В своем мирке он добился неограниченного влияния: и карает, и милует. И как любой образцовый чиновник, неукоснительно поворачивается вслед за властью.

В бытность Дмитрия Дмитриевича профессором консерватории в его обязанности входило ассистировать на экзаменах по научному коммунизму. Под огромным плакатом «ИСКУССТВО ПРИНАДЛЕЖИТ НАРОДУ. В. И. ЛЕНИН» сидел главный экзаменатор, а поодаль устраивался ассистент. Не владея глубокими знаниями в области научного коммунизма, он большей частью помалкивал, но в какой-то момент главный экзаменатор упрекнул его за такую пассивность. Когда собралась отвечать очередная студентка и экзаменатор, многозначительно кивнув, направил ее к ассистенту-композитору, тот спросил первое, что пришло в голову:

— Вы мне ответьте: кому принадлежит искусство?

Студентка опешила. Он деликатно задал ей наводящий вопрос:

— Ну хорошо: какое мнение на сей счет высказывает Ленин?

Но бедная девушка совсем растерялась: как он ни дергал головой в нужную сторону, как ни стрелял туда же взглядом, она так и не увидела подсказку.

По его мнению, отвечала она в целом неплохо, и он, позднее сталкиваясь с ней в консерваторских коридорах или на лестницах, старался наградить ее ободряющей улыбкой. Но барышня, неспособная разгадать даже самый прозрачный намек, теперь, вероятно, расценивала улыбки знаменитого композитора точно так же, как его странные ужимки во время экзамена: как отчаянный нервный тик. И все же при каждой встрече в голове у него бился все тот же вопрос: «Кому принадлежит искусство?»

Искусство принадлежит всем и никому в отдельности. Искусство принадлежит всем временам — и никакой конкретной эпохе. Искусство принадлежит тем, кто его создает, и тем, кто им наслаждается. Сегодня искусство не принадлежит партии и народу, равно как в прошлом оно не принадлежало аристократии вкупе с меценатами. Искусство — это шепот истории, различимый поверх шума времени. Искусство существует не для искусства: оно существует для людей.

Но для каких людей и кто на них укажет? Он всегда считал свою музыку далекой от аристократизма. Пишет ли он, как утверждают его хулители, для космополитической буржуазной верхушки? Нет. Пишет ли он, как того хочется его критикам, для горняка Донбасса, который устало идет со смены и надеется слегка взбодриться? Нет. Он сочиняет музыку для всех — и ни для кого. Он пишет для тех людей, которые, независимо от своего социального происхождения, способны ее оценить. Для того, кто имеет уши и услышит. А значит, все точные определения искусства замыкаются сами на себе, а все ложные определения тщатся ограничить искусство конкретной функцией.

Как-то был случай: некий крановщик прислал ему песню собственного сочинения. В ответ он написал: «У вас такая прекрасная профессия. Вы строите жилье, которое остро необходимо. Мой вам совет: продолжайте заниматься своим полезным делом». Он так ответил не потому, что считал крановщика неспособным к сочинению песен, а потому, что этот горе-композитор обнаружил примерно такие же способности, какие проявит он сам, если запихнуть его в кабину башенного крана и заставить дергать рычаги. А помимо этого, хотелось надеяться, что при старом режиме, получи он подобный опус от какого-нибудь аристократа, ему хватило бы смелости ответить: «Ваше сиятельство, у вас такой высокий чин, вы призваны, с одной стороны, поддерживать аристократическое достоинство, а с другой — проявлять заботу о тех, кто трудится у вас в имении. Мой вам совет: занимайтесь своей деятельностью на благо общества».

Сталин любит Бетховена. Так утверждает сам Сталин, а многие музыканты за ним повторяют. Сталин любит Бетховена за то, что тот был истинным революционером и вдобавок величественным, как горы. Сталин любит все возвышенное, а потому любит и Бетховена. Уши вянут.

Но любовь Сталина к Бетховену получила логическое продолжение. Немецкий композитор жил, разумеется, в эпоху буржуазии, в эпоху капитализма, а потому его солидарность с пролетариями, его желание увидеть, как они сбрасывают ярмо рабства, неизбежно коренилась в дореволюционном политическом сознании. Он стоял у истоков. Но теперь, с победой долгожданной революции, когда уже построено самое политически развитое общество на всем земном шаре, когда Утопия, сады Эдема и Земля обетованная слились воедино, напрашивался неизбежный логический вывод: стране требуется Красный Бетховен.

Неважно, где возникла эта бредовая идея — скорее всего, как и многое другое, вызрела во лбу Великого Вождя и Рулевого, — но, единожды изреченная, она потребовала воплощения. Где Красный Бетховен? Тотчас же начался общенародный поиск, сопоставимый разве что с поисками младенца Христа при царе Ироде. В самом деле: если Россия — родина слонов, почему бы ей не стать и родиной Красного Бетховена?

Сталин всех убедил, что они — винтики государственной машины. Но Красный Бетховен должен был стать мощной шестерней, которая всегда на виду. Само собой разумеется, к нему выдвигались непреложные требования: рабоче-крестьянское происхождение и наличие партбилета. К счастью, в силу этих требований кандидатура Дмитрия Дмитриевича Шостаковича исключалась. Власть положила глаз на Александра Давиденко, стоявшего во главе РАПМ. Его песня «Нас побить, побить хотели», прославлявшая доблестную победу Красной армии над китайцами в двадцать девятом году, своей популярностью превзошла даже «Песню о встречном». В переложении для солистов и сводного хора, для фортепиано, для скрипки, для струнного квартета она в течение целого десятилетия поднимала дух и настрой всей страны. В какой-то момент даже возникло ощущение, будто другой музыки больше не существует.

Послужной список у Давиденко оказался безупречным. Композитор учительствовал в каком-то московском детдоме, руководил музыкальной самодеятельностью в профсоюзе работников обувной промышленности, в профсоюзе рабочих текстильной промышленности и даже на Черноморском флоте в Севастополе. Сочинил истинно пролетарскую оперу на тему революции тысяча девятьсот пятого года. И все же, все же... при всех своих достоинствах неизменно считался автором одного произведения: «Нас побить, побить хотели». Песня, бесспорно, мелодичная, начисто лишенная формалистического уклона. Но по какой-то причине Давиденко не сумел развить свой единственный блестящий успех и тем самым заслужить титул, уже приготовленный Сталиным. Вероятно, для композитора это было к лучшему. Красный Бетховен после своей коронации рисковал разделить судьбу Красного Наполеона. Или Бориса Корнилова, написавшего текст «Песни о встречном». Все полюбившиеся народу слова, сочиненные для этой кинопесни, все глотки, из которых лился текст поэта, не спасли его от ареста в тридцать седьмом году и, как принято говорить, от «чистки» в тридцать восьмом.

Поиски Красного Бетховена могли превратиться в комедию, да только вокруг Сталина комедий не случалось. Великому Вождю и Учителю ничего не стоило заявить, что отсутствие Красного Бетховена объясняется не организацией музыкальной жизни в СССР, а исключительно происками вредителей и саботажников. А кто может саботировать поиски Красного Бетховена? Что за вопрос: естественно, музыковеды-формалисты! Дайте только срок — НКВД из-под земли выкопает заговор музыковедов. А это — дело нешуточное.

Ильф и Петров поведали, что в Америке нет ответственности за политические преступления, а есть только за уголовные и что Аль-Капоне в камере тюрьмы Алькатрас пописывает антисоветские статейки для изданий Хёрста. Они также отметили характерное «соединение примитивной американской кулинарии со служебным сладострастием». Сам он не мог судить о справедливости этого утверждения, хотя в антракте одного из концертов произошел довольно странный случай. Стоя за канатным ограждением, он услышал женский голос, настойчиво звавший его по имени. Решив, что дама жаждет поговорить о музыке, он дал знак, чтобы ее пропустили. Остановившись перед ним, она сказала с лучезарной, неприкрытой бесцеремонностью:

— Привет. Вы очень похожи на моего кузена.

Эти слова прозвучали как шпионский пароль и сразу его насторожили. Он спросил: уж не русский ли этот двоюродный брат?

— Что вы, — последовал ответ, — американец на все сто процентов. Нет: американец на сто десять процентов.

Он ждал, когда же разговор зайдет о музыке или хотя бы о концерте, на который они пришли, но дама уже высказалась и с очередной сладострастной улыбкой отошла. Это выбило его из колеи. Значит, он на кого-то похож. Или кто-то похож на него. Что отсюда следует? Или отсюда ничего не следует?

Когда он давал согласие лететь на конгресс деятелей науки и культуры в защиту мира, у него не было выбора. При этом замаячило подозрение, что из него, вероятно, сделают образцово-показательную фигуру, воплощение советских ценностей. Он предполагал, что одни американцы примут его сердечно, другие — враждебно. Его поставили в известность, что по окончании конгресса придется совершить поездку за пределы Нью-Йорка, с тем чтобы выступить на митингах в Ньюарке и Балтиморе, прочесть лекции и сыграть несколько вещей в Йеле и Гарварде. Он ничуть не удивился, когда после приземления в аэропорту Ла-Гуардия узнал, что некоторые из этих приглашений уже отменены; не огорчился он и позднее, когда Госдеп выдворил их из страны раньше срока. Этого следовало ожидать. Не подготовился он к другому: что в Нью-Йорке его ждет чистой воды унижение и позор.

Годом ранее одна молодая сотрудница советского консульства выпрыгнула из окна и попросила политического убежища. А теперь в течение всего конгресса на тротуаре у гостиницы «Уолдорф-Астория» топтался некто с плакатом: «Шостакович! Прыгай из окна!» Более того, поступали предложения натянуть страховочную сетку под окнами участников советской делегации — на тот случай, если у них возникнет желание выпрыгнуть на свободу. К концу форума он признался себе, что искушение все же было, но задумай он прыгнуть — выбрал бы такое окно, под которым сетка не натянута.

Нет, неправда; он кривит душой. Не стал бы он метить мимо сетки, чтобы упасть на тротуар, по той простой причине, что никогда не решился бы выпрыгнуть из окна. Сколько раз у него возникала мысль покончить с собой? Не сосчитать.

А сколько сделано попыток? Ни одной. Хотя намерения такие были. Случалось, его захлестывали настоящие самоубийственные импульсы — если, конечно, можно усматривать настоящие самоубийственные импульсы там, где не последовало суицидной попытки. Пару раз он даже специально покупал снотворное, но ни разу не смог удержать этого в тайне: после многочасовых слезливых пререканий таблетки у него изымались. Он и матери грозил самоубийством, и Тане, а впоследствии даже Ните, причем совершенно искренне, как подросток.

Таню только смешили эти угрозы; мама с Нитой относились к ним серьезно. Когда он, совершенно подавленный, вернулся со съезда композиторов, приводить его в чувство выпало Ните. Но спасла его не сила духа жены; спасло собственное осознание того, на что он замахнулся. Сейчас он угрожал самоубийством не Тане, не жене, не матери: он угрожал Власти. Он обращался к Союзу композиторов, к кошкам, что скребли его душу, к Тихону Николаевичу Хренникову, к самому Сталину: смотрите, до чего вы меня довели, моя смерть будет делом ваших рук и останется на вашей совести. Конечно, он понимал, что все это пустые угрозы, а ответ партии ясен даже без слов. И сводится он к следующему: давай-давай, вперед, а мы поведаем миру твою историю. Историю о том, как ты по уши увяз в преступном заговоре Тухачевского, как десятилетиями саботировал отечественную музыку, как толкал на ложный путь молодых композиторов, чтобы ввергнуть

СССР в пучину капитализма, как возглавил заговор музыковедов, о котором теперь узнает вся мировая общественность. И все эти сведения подтвердит твоя предсмертная записка. Вот почему он не мог наложить на себя руки: чтобы не дать никому похитить свою биографию и переписать заново. У него была потребность, пусть безнадежная, истерическая, хоть сколько-нибудь самостоятельно распоряжаться своей жизнью, своей биографией.

Тот, по чьей милости он сгорал со стыда, звался Набоковым. *Mister* Николай Набоков. Сам в некотором роде композитор. Эмигрировал из России в тридцатые годы, обосновался в Америке. Еще Макиавелли говорил, что перебежчику доверять нельзя. Тот субъект, вероятно, работал на ЦРУ. Но это дела не меняло.

На открытом заседании конгресса в «Уолдорф-Астории» Набоков сидел в первом ряду, прямо напротив него, так близко, что они едва не соприкасались коленями. С беспардонным панибратством этот набриолиненный русский в безупречном твидовом пиджаке отметил, что конференц-зал, где проходит данная встреча с общественностью, называется «Зал „Перроке“», и объяснил, что в переводе на русский «перроке» означает «попугай». А сам ухмылялся, как будто ирония этого названия была очевидна для всех. Непринужденность, с какой он уселся в первом ряду, предполагала, что он состоит на содержании у американского правительства. От этого

Дмитрий Дмитриевич занервничал еще сильнее. Пытаясь зажечь папиросу, он раз за разом ломал спички, а когда отвлекался, папироса гасла. И каждый раз твидовый перебежчик услужливо щелкал у него под носом зажигалкой, будто говоря: прыгай из окна — и будет у тебя такая же шикарная, блестящая зажигалка.

Всякий, кто обладал хотя бы малой толикой политического чутья, понимал, что выступления Дмитрия Дмитриевича написаны за него другими: и краткое обращение, прозвучавшее в пятницу, и весьма продолжительная субботняя речь. Бумажки ему вручали заранее и при этом напоминали о необходимости тщательной подготовки. Естественно, он в них даже не заглядывал. А если бы начали его прорабатывать, ответил бы, что он не оратор, а композитор. В пятницу речь получилась быстрой, монотонной и невразумительной, отчего только усиливалось впечатление, что текст он видит впервые. Он даже не останавливался на знаках препинания, как будто их там и не было вовсе, не делал пауз ни для выразительности, ни для реакции зала. Это не имеет ко мне никакого отношения, всем своим видом заявлял он. И старался, пока переводчик проговаривал его текст на английском, не встречаться глазами с пристальным взглядом Николая Набокова и не закуривал, боясь, как бы не погасла папироса.

В субботу текст был совсем другой. Объем и тяжеловесность оттягивали руку, а потому, не предупредив своих кураторов, он прочел вслух первую страницу, предоставил слово переводчику и отошел в сторону. Пока зачитывался английский текст, он следил по оригиналу, из которого с любопытством узнавал о своих шаблонных взглядах на музыку и мир во всем мире, а также на опасности, грозящие тому и другому. Сначала у него шли нападки на врагов мирного сосуществования и на агрессивные действия кучки милитаристов и разжигателей ненависти, замышляющих третью мировую войну. Затем следовали обвинения в адрес американского правительства, которое разворачивает военные базы за тысячи километров от своей территории, провокационно нарушает международные обязательства и договоры, разрабатывает новые виды оружия массового уничтожения. Эти нападки были встречены бурными аплодисментами.

Потом он назидательно объяснил американцам, насколько советская организация музыкального дела опережает любую другую на планете. Столько-то симфонических и духовых оркестров, народных коллективов, хоров, — это ли не доказательство активного участия музыки в неуклонном развитии общества? Например, в Советском Союзе народы Средней Азии и Дальнего Востока за последние годы избавились от последних пережитков колониализма, насаждавшегося царским режимом. Представители узбекского, таджикского и других народов необъятного Советского Союза в беспрецедентных масштабах и на самых разных уровнях приобщаются к достижениям музыкальной культуры. В этом месте особенно резкой критике подвергся *Mister* Хэнсон Болдуин, военный обозреватель «Нью-Йорк таймс», позволивший себе пренебрежительно отозваться о народах Средней Азии в своей недавней статье (о которой Дмитрий Дмитриевич не ведал ни сном ни духом).

Все вышеизложенное, продолжал он, закономерно содействует дальнейшему сплочению и взаимопониманию партии, народа и советских композиторов. Если долг композитора — вдохновлять народ и вести его к новым свершениям, то народ под руководством партии точно так же вдохновляет и ведет вперед композитора. Активизации этого процесса способствует конструктивная критика, имеющая своей целью предостеречь композитора в тех случаях, когда он совершает такие ошибки, как мелкий субъективизм, интроспективный индивидуализм, а также формализм и космополитизм; то есть, коротко говоря, если композитор теряет связь с народом. В этом отношении он и сам допустил ряд ошибок: отклонялся от магистрального пути советских композиторов, от важных тем и современных образов. Утратил связь с массами и ориентировался на узкую прослойку музыкантов с извращенными вкусами. Советские люди, которые не могут оставаться равнодушными к таким заблуждениям, подвергли его всенародной критике, позволившей ему осознать необходимость возвращения к истокам. Ошибки свои он признал и вновь попросил за них прощения. Впредь обязуется их не допускать.

Пока — сплошные штампы, во всяком случае (так он надеялся) на американский слух. Очередное покаяние, хотя и в экзотическом месте. Но, скользнув глазами дальше, он похолодел. В тексте стояло имя величайшего композитора Америки, к которому уже приближался вплотную переводческий голос с американским акцентом. Вначале шельмовались все музыканты, разделяющие концепцию искусства ради искусства, которая привела к широко известным музыкальным извращениям. Наглядным примером такого извращения, вещал от его имени чужой голос, является творчество Игоря Стравинского, предателя Родины, который отрезал себя от своего народа, примкнув к клике реакционных музыкантов-модернистов. На чужбине композитор проявил нравственную пустоту, наглядно подтверждаемую его нигилистическими высказываниями, в которых звучит высокомерие (народные массы — это, дескать, «количественный термин, никогда не принимавшийся мною в расчет») и неприкрытое бахвальство тем, что его «музыка не выражает ничего реалистического». Таким образом, этот композитор сам подтверждает бессмысленность и бессодержательность своего творчества.

Предполагаемый автор этих слов обмер и боялся пошевелиться, хотя внутренне сгорал от стыда и презрения к себе. Как же он не предугадал такого поворота? Мог бы кое-что поменять, модифицировать хотя бы в русском тексте, который сам читал по бумажке. А он по недомыслию решил, что показное равнодушие к собственным словам укажет на его идеологическую непредвзятость. Неизвестно, чего в этом было больше: глупости или наивности. От потрясения он еле-еле сумел сосредоточиться и понять, что его американский голос начал перемывать кости Прокофьеву. Сергей Сергеевич в последнее время тоже допускал отступления от линии партии, а потому оказался в одном шаге от опасной черты, за которой, без должного внимания к рекомендациям Центрального комитета, недолго впасть в формализм. Но если Стравинский — безнадежный случай, то Прокофьев еще мог, проявляя известную бдительность, пойти верной дорогой и добиться больших творческих успехов.

Он перешел к финальной части, в которой зазвучали пламенные надежды на мир во всем мире вкупе с невежественными, ханжескими суждениями о музыке, за которые он вновь был награжден овациями. Прямо как дома. Из зала прозвучали безобидные вопросы, на которые он ответил с помощью переводчика и своего доброжелателя-инструктора, который откуда ни возьмись нарисовался у его свободного уха. Но потом он увидел, как фигура в твидовом пиджаке поднимается со стула, но уже не в первом ряду, а на более выигрышной позиции, чтобы все присутствующие могли стать свидетелями допроса.

Для начала *Mister* Николай Набоков с оскорбительной учтивостью объяснил, что вполне понимает: композитор находится здесь как официальное лицо, а потому мнения, выраженные в его речи, — это мнения посланника сталинского режима. Но хотелось бы задать ему несколько вопросов не как участнику делегации, а, так сказать, как композитору от композитора.

— Разделяете ли вы лично огульное, желчное порицание западной музыки, которую ежедневно разоблачают советские печатные органы и советское правительство?

Он почувствовал, как у его уха вьется куратор, но больше не нуждался в его подсказках. Он сам знал, как отвечать, — выбора-то не было. Его привели через лабиринт в последнюю комнату, где он увидел не поощрительную плошку с едой, а только капкан — и ничего более. А посему он монотонно пробубнил:

— Да, я полностью разделяю эти мнения.

— Согласны ли вы лично, что западной музыке не место в советских концертных залах?

Тут у него появилась небольшая свобода маневра, и он ответил:

— Если это хорошая музыка, она исполняется.

— Разделяете ли вы лично запрет на исполнение в советских концертных залах музыки Хиндемита, Шенберга и Стравинского?

Вот тут у него вспотело за ушами. Взяв небольшую паузу для обсуждения ответа с переводчиком, он на миг представил, как генералиссимус уже заносит авторучку.

— Да, лично я поддерживаю такие меры.

— И вы целиком согласны с теми оценками музыки Стравинского которые прозвучали в вашем сегодняшнем выступлении?

— Да, я целиком согласен с этими оценками.

— И вы лично согласны с оценками, которые дал вашей музыке и музыке других композиторов министр Жданов?

Жданов шельмовал его с тридцать шестого года, запрещал исполнение его произведений, осыпал издевками, грозился уничтожить, сравнивал его музыку со звуками бормашины и музыкальной душегубки.

— Да, я лично согласен с оценками, которые высказывает член Политбюро Жданов.

— Благодарю вас. — Набоков обвел глазами зал, будто рассчитывая сорвать аплодисменты. — Теперь все предельно ясно.

В Москве и Ленинграде о Жданове ходила одна байка, которую передавали из уст в уста: история про урок музыки. Такую историю мог бы оценить, а возможно, и сочинить Гоголь. Вслед за постановлением ЦК тысяча девятьсот сорок восьмого года Жданов созвал у себя совещание деятелей советской музыки. По одной версии, он пожелал видеть только их с Прокофьевым, по другой — всю свору грешников и бандитов. Их привели в какое-то большое помещение с трибуной, кафедрой и роялем. Фуршета не было, по рюмке водки для снятия напряжения не налили, даже бутербродов, чтобы от страха не подташнивало, никто не предложил. Какое-то время держали в подвешенном состоянии. Затем появился Жданов с парой чиновников. Поднявшись на трибуну, он уставился сверху вниз на музыкальных вредителей и саботажников. В очередной раз прочел нотацию по поводу их вероломства, заблуждений и самонадеянности. Объяснил, что игра в заумные вещи может закончиться очень плохо, если они не одумаются. А потом, когда композиторы едва не наложили в штаны, устроил настоящий *coup de théâtre*[1]. Сел за рояль и преподал им урок. Вот это — он стал терзать клавиатуру, изображая уханье и кряканье, — упадочничество и формализм. А вот это — он заиграл слезливую неоромантическую мелодию, под которую заносчивая прежде героиня какого-то фильма призналась наконец, что влюблена, — *вот это* мелодичная, реалистическая музыка, которой ожидает народ и требует партия. Поднявшись из-за рояля, он отвесил ернический поклон и отпустил свою аудиторию одним взмахом руки. Ведущие композиторы страны гуськом потянулись к дверям: одни обещали исправиться, другие молча потупились от стыда.

Конечно, это чистой воды байка. Своими нотациями Жданов довел их до полуобморочного состояния, но был не настолько глуп, чтобы осквернять клавиши сосисками пальцев. И тем не менее с каждым пересказом история приобретала все большее правдоподобие, и в конце концов кое-кто из предполагаемых участников подтвердил, что да, именно так оно и было. А сам он отчасти жалел, что не присутствовал на таком спектакле, устроенном Властью. Как бы то ни

[1] Театральный эффект *(фр.)*.

было, история эта быстро вошла в коллекцию убедительных мифов своего времени. Главное ведь не в том, насколько правдивы те или иные слухи, а в том, что они собой знаменуют. Хотя в данном случае чем больше циркулировали эти слухи, тем становились правдивее.

Их с Прокофьевым ругали вместе, оскорбляли вместе, запрещали и разрешали тоже вместе. Только Сергей Сергеевич, вероятно, не до конца понимал, что происходит. Трусом он не был ни в жизни, ни в музыке, но все происходящее — даже бешеные, губительные нападки Жданова на интеллигенцию — воспринимал как проблему личного свойства, для которой где-то должно найтись решение. На одном полюсе — музыка и его дарование, на другом — Власть, чиновничий аппарат, политизированное музыковедение. Вопрос лишь в том, как приспособиться, чтобы и впредь оставаться самим собой, писать свою музыку. Можно и по-другому выразиться: Прокофьев не сумел разглядеть трагическую сторону происходящего.

Одно оказалось хорошо тогда в Нью-Йорке: фрак произвел должное впечатление. Прекрасно был подогнан по фигуре.

Когда самолет снижался над Рейкьявиком, ему нестерпимо хотелось вызвать стюардессу и попросить бензедриновый ингалятор. Теперь уже, по сути, было все равно.

Вполне возможно, думалось ему, что Набоков каким-то изощренным способом хотел выразить сочувствие его положению, продемонстрировать остальным делегатам истинную сущность этого публичного маскарада. Но если так, этот субъект — либо платная подсадная утка, либо политический дебил. Чтобы доказать отсутствие свободы под солнцем сталинской конституции, он готов был принести в жертву судьбу конкретного человека. Ведь именно это он и проделал: не хочешь Выпрыгнуть Из Окна — тогда почему бы не сунуть голову в петлю, которую я для тебя приготовил? Скажи правду — и умри, согласен?

Один из пикетчиков у отеля «Уолдорф-Астория» держал плакат: «ШОСТАКОВИЧ, МЫ ПОНИМАЕМ!» Да что они могут понимать, даже такие, как Набоков, кому довелось пожить при советской власти. И с каким же самодовольством вернутся они в свои комфортабельные американские апартаменты, с честью выполнив дневную норму трудов во имя свободы и мира во всем мире. Ни знаний у них, ни воображения, у этих западных смельчаков-гуманистов. Приезжают в Россию по путевкам азартными стайками, каждая кандидатура одобрена Советским государством, каждый жаждет познакомиться с «настоящими русскими», чтобы уяснить, каковы «на самом деле» их взгляды и убеждения. Уж об этом-то им поведают в последнюю очередь, поскольку не нужно быть параноиком, чтобы знать о присутствии стукача в каждой группе, равно как и о том, что гиды послушно строчат отчеты. Одна такая стая дорвалась до Ахматовой и Зощенко. Это была очередная задумка Сталина. До вас дошли слухи, что у нас притесняют отдельных работников литературы и искусства? Вы хотели встретиться с Ахматовой и Зощенко? Да вот же они — спрашивайте о чем угодно.

И эта кучка западных гуманистов, уже восторженно пожирающих Сталина своими коровьими глазами, не нашла ничего умнее, как спросить Ахматову, что она думает о направленных против нее высказываниях «председателя Жданова» и постановлении Центрального комитета. Жданов перед тем заявил, что Ахматова отравляет сознание молодежи тлетворным духом своей поэзии. Ахматова встала и сказала, что считает и выступление «председателя Жданова», и постановление Центрального комитета совершенно правильными. И эти визитеры удалились, сжимая в руках свои путевки и повторяя друг другу, что взгляды Запада на Советскую Россию — это злобные измышления, а деятелей литературы и искусства не только не притесняют, но и дают им возможность вести конструктивную полемику с высшими эшелонами Власти. Что доказывает, насколько выше ценится искусство в России, нежели в их собственных упадочнических странах.

Но еще большее отторжение вызывали у него широко известные западные гуманисты, которые приезжали в СССР, дабы объяснить местному населению, что оно живет в раю. Мальро, который восхвалял Беломорско-Балтийский канал, ни словом не упомянув, что канал этот стал могилой своих строителей. Фейхтвангер пресмыкался перед Сталиным и «понимал», что показательные процессы необходимы для дальнейшего развития демократии. Певец Поль Робсон громогласно поддерживал политические убийства. Полное отвращение вызывали Ромен Роллан и Бернард Шоу, которые набрались смелости похвалить его музыку, но закрывали глаза на гонения Власти против него и других. Сказавшись больным, он не явился на встречу с РоменомРолланом. Но Бернард Шоу был не меньшим злом. «Голод в Советском Союзе? — риторически вопрошал он. — Помилуйте. Меня нигде так не угощали, как в Советском Союзе». К тому же именно он заявил: «Вы меня не испугаете словом „диктатор“». И этот доверчивый олух, который якшался со Сталиным, так ничего и не заметил. Действительно, ему ли бояться диктатора? У них в Англии диктаторов не бывало со времен Кромвеля. А ведь заставили отправить Бернарду Шоу партитуру Седьмой симфонии. Надо было на титульном листе, рядом со своей подписью, указать количество крестьян, умерших от голода, пока этот драматург предавался чревоугодию в Москве.

Другие смыслили поболее, выражали поддержку и в то же время разочарование. Эти не понимали того простого факта, что в Советском Союзе невозможно сказать правду и после этого остаться в живых. Эти воображали, что знают механизмы Власти, и хотели, чтобы ты с ней боролся, как — по собственному убеждению — боролись бы сами на твоем месте. Иными словами, они хотели крови. Хотели мучеников, чтобы доказать порочность режима. Только вот мучеником предлагалось стать тебе, а не им самим. Сколько, интересно, требуется мучеников, чтобы доказать истинную, чудовищную, хищно-злобную натуру этого режима? Все больше и больше. Чтобы превратить человека искусства в гладиатора, который на арене сражается с дикими зверями, орошая песок своей кровью. Чего они хотят добиться, говоря словами Пастернака, так это «полной гибели, всерьез». Придется разочаровывать этих идеалистов, сколько получится.

Одного им не понять, этим самозваным друзьям: насколько они похожи на Власть — сколько ни дай, требуют еще, «наступя на горло».

От него всегда хотели больше, чем он мог дать. А он всегда хотел отдавать только одно: музыку.

Если бы все было так просто.

В воображаемых беседах, которые порой велись у него с этими разочарованными сторонниками, он, как правило, начинал с одного маленького, базового факта, почти наверняка им неведомого: в Советском Союзе купить нотную бумагу могут только члены Союза композиторов. Известно вам это? Конечно нет. Но, Дмитрий Дмитриевич, непременно отвечали они, если так, можно ведь приобрести чистые листы и нанести нотный стан при помощи карандаша и линейки, разве нет? Неужели у вас так легко отбить охоту заниматься любимым искусством?

Хорошо, мог бы продолжить он, давайте подойдем с другой стороны. Если тебя объявили врагом народа, как произошло в свое время с вашим покорным слугой, все и вся вокруг тебя оказываются замараны и заражены. В первую очередь, конечно, родные и друзья. Но также и дирижер, который исполняет, или недавно исполнял, или предлагает к исполнению твою вещь, а также участники струнного квартета, концертный зал, даже камерный, а также слушатели. Сколько раз дирижеры или солисты в последний момент срывали договоренность? Одни из естественного страха или понятной осторожности, другие после намека от Власти. Кто угодно, от Сталина до Хренникова, мог запретить исполнение твоих произведений по всей стране на неограниченный срок. Они уже сломали ему карьеру как оперному композитору. В начале его творческого пути многие предрекали — и он соглашался, — что лучшие свои работы он создаст именно в жанре оперы. Но после того как зарубили «Леди Макбет», он за оперы больше не брался, да и начатые не завершил.

Но, Дмитрий Дмитриевич, можно же работать в домашней тиши и самостоятельно распространять свои произведения: показывать друзьям, переправлять за рубеж, как поступают поэты и прозаики? Вот спасибо за такую гениальную идею: чтобы его новаторская музыка, запрещенная в России, исполнялась на Западе. Неужели непонятно, что это сразу сделает его легкой мишенью? Докажет, что он стремится к возрождению капитализма в Советском Союзе. Но музыку-то можно сочинять? Да, можно — неисполненную и неисполняемую. А музыку надо исполнять сразу.

Музыка — это вам не китайские яйца, которые с годами становятся только лучше, если закопать их в землю.

Но, Дмитрий Дмитриевич, вы впадаете в пессимизм. Музыка бессмертна, музыка будет длиться вместе с вечностью, потребность в музыке не исчезнет, музыка способна выразить все, что угодно, музыка... и так далее и тому подобное. Когда ему начинают объяснять природу его собственного искусства, он затыкает уши. Можно только поаплодировать такому идеализму. Да, музыка бессмертна, но композитор-то — отнюдь нет. Его легко заткнуть, а еще легче убить. Что же касается обвинения в пессимизме — слышать такое ему не впервой. А они — протестовать: нет-нет, вы не понимаете, мы помочь хотим. Так что в следующий раз, когда понаедут из своих безопасных, богатых стран, пусть нотной бумаги побольше везут.

Во время войны, в медленно ползущих тифозных поездах между Куйбышевом и Москвой он надевал на шею и запястья нанизанные на нитку чесночные дольки; они помогали уберечься. А теперь — хоть носи их не снимая: только беречься приходится не от тифа, а от Власти, от врагов, от лицемеров, даже от доброхотов-друзей.

Он восхищался теми, кто смог встать во весь рост и высказать правду в лицо Власти. Восхищался их мужеством и нравственной цельностью. А порой завидовал: но тут не все так просто, поскольку зависть его отчасти распространялась на их смерть: им теперь неведомы муки живых. Когда он по ночам ожидал у себя на Большой Пушкарской, на пятом этаже, что вот-вот откроются дверцы лифта, к страху примешивалось пульсирующее желание: уж пусть бы забрали. Он, ко всему прочему, убедился и в бесполезности разовых проявлений мужества.

Но эти герои, эти мученики, чья смерть приносила двойное удовлетворение — тирану, который ее заказал, и народам-свидетелям, которые и хотели сочувствовать, но испытывали свое превосходство, — не умирали в одиночку. В результате их героизма уничтожались многие из близких. Так что дело было ясное, но совсем не простое.

И конечно, железная логика тоже указывала в противоположную сторону. Спасая себя, можно спасти близких, любимых. А поскольку для спасения любимых человек готов сделать все, что угодно, он делает все возможное для спасения себя.

А поскольку выбора нет, не остается и возможности избежать нравственного распада.

Свершилось предательство. Он предал Стравинского и тем самым предал его музыку. Позднее он говорил Мравинскому, что это были худшие минуты его жизни.

После приземления в Исландии обнаружилась какая-то неисправность самолета. Двое суток ждали прибытия другого, на замену. Потом из-за погодных условий отменили вылет во Франкфурт — вместо этого направили их через Стокгольм. Шведские музыканты горячо приняли незапланированный визит своего именитого коллеги. Впрочем, когда его попросили назвать своих любимых шведских композиторов, он растерялся, как школяр в коротких штанишках... или как та студентка, которая не знала, кому принадлежит искусство. Он собирался назвать Свендсена, но вовремя сообразил, что Свендсен — норвежец. Шведы, люди слишком интеллигентные, чтобы обижаться, на следующее утро прислали ему в номер большую коробку пластинок с сочинениями своих композиторов.

Вскоре после его возвращения в Москву журнал «Новый мир» опубликовал статью за его подписью. Из желания выяснить, каково же его собственное мнение, он прочел, что конгресс прошел в высшей степени успешно и что Госдеп в ярости отправил советскую делегацию домой раньше времени. «Я много размышлял об этом на обратном пути, — читал он о себе. — Да, вашингтонские заправилы боятся нашей литературы, нашей музыки, наших выступлений за мир — боятся потому, что любая форма правды мешает им устраивать диверсии против мира».

Жизнь прожить — не поле перейти: это ведь заключительная строка стихотворения Пастернака «Гамлет». А перед ней сказано: «Я один, все тонет в фарисействе».

Часть третья
В АВТОМОБИЛЕ

Он знал одно: это самое скверное время в его жизни.

Самое скверное — не значит самое опасное.

Потому что самое опасное время — совсем не то, когда ты подвергаешься самой большой опасности.

Этого он прежде не понимал.

Сидя в персональном автомобиле рядом с водителем, он смотрел, как пейзаж за окном ныряет вверх-вниз и уплывает назад. И задавался вопросом. Вопрос был такой:

Ленин считал музыку гнетущей.
Сталин считал, что понимает и ценит музыку.
Хрущев музыку презирал.
Что для композитора хуже?

На некоторые вопросы ответов нет. Вернее, некоторые вопросы уносишь в собой в могилу. Горбатого могила исправит, как приговаривал Хрущев. Бывает, человек горбатым и не родился, но со временем на душе вырос горб. Получился пытливый горбун. Да, наверное, могила исправит и не в меру пытливого, и его вопросы. А трагедии задним числом уподобятся фарсам.

Когда на Финляндский вокзал прибывал Ленин, Митя с компанией одноклассников помчался туда, чтобы увидеть возвращение героя. Сколько раз ему доводилось повторять эту историю. Однако ребенком он был слабым, домашним, и его вряд ли отпустили бы просто так. Более вероятно, что на вокзал он отправился в сопровождении своего дяди, старого большевика Максима Лаврентьевича Кострикина. Такую историю ему тоже доводилось повторять не однажды. Обе версии приукрашивали его преданность Революции. Десятилетний Митя на Финляндском вокзале, вдохновленный великим вождем! Такая картинка — далеко не помеха для начала карьеры. Но существует и третья версия: Ленина он в глаза не видел и к вокзалу даже близко не подходил. Может, просто выдавал рассказ одноклассника за свой. Сейчас уже не вспомнить. Был ли он в самом деле на Финляндском? Или, так сказать, врет, как очевидец?

Невзирая на запреты врачей, он в очередной раз закурил и уставился на ухо шофера. Значит, существует по крайней мере одна незыблемая истина: у шофера есть ухо. И несомненно, еще одно с другой стороны, пусть его и не видно. Получается, ухо существует только в памяти или, точнее, в воображении, пока его снова не увидишь. Специально наклонившись, он разглядел ушную раковину и мочку. Что ж, хотя бы один вопрос на данный момент решен.

В детстве его кумиром был Фритьоф Нансен, полярный исследователь. В молодости один только скрип снега под лыжами приводил его в ужас, а величайшим исследовательским подвигом стала экспедиция за огурцами в соседнюю деревню по просьбе Ниты. Теперь, в старости, по Москве его возят на машине: обычно Ирина, но иногда и личный водитель. А сам он теперь Нансен, покоритель области.

На прикроватной тумбочке стоит, как всегда, открытка с тициановским «Динарием кесаря».

Чехов говорил, что перепробовал все жанры, кроме доносов.

Бедняга Анатолий Башашкин. Получил ярлык «ти́товского прихвостня».

Если верить Ахматовой, при Хрущеве настали «вегетарианские времена». Возможно; хотя для убийства не обязательно прибегать к традиционным способам мясоедских времен — достаточно забить человеку глотку овощами.

По возвращении из Нью-Йорка он написал ораторию «Песнь о лесах» на текст Долматовского, пустопорожний и косноязычный. Про то, как по всем степям вдоль русских рек пройдет лесная полоса, потому что Сталин, Вождь и Учитель, Друг Детей, Великий Рулевой, Великий Отец Народов, Великий Железнодорожник, сделался нынче еще и Великим Садоводом. «Оденем Родину в леса!» — как заклинание, раз десять повторяет Долматовский. При Сталине, утверждалось в этой оратории, даже яблони вырастают храбрыми; против них бессильны и лед, и мороз трескучий, подобно тому как бессильны были фашисты против Красной армии. Оглушительная банальность той работы стала залогом мгновенного успеха. Композитору присудили уже четвертую Сталинскую премию — в материальном выражении это сто тысяч рублей и дача. Он воздал кесарю кесарево, и кесарь не остался в долгу. Шесть раз в общей сложности отметил его Сталинской премией. И орден Ленина вручали ему с завидной регулярностью, раз в десять лет: в сорок шестом, пятьдесят шестом и шестьдесят шестом. Купался в почестях, словно креветка в соусе. И надеялся, что до семьдесят шестого не доживет.

Вероятно, храбрость сродни красоте. Когда красивая женщина стареет, она видит лишь то, чего уже нет, а окружающие видят лишь то, что осталось. Кое-кто превозносит его за стойкость, за неподчинение, за прочный стержень под внешней нервозностью. А сам он видит лишь то, чего уже нет.

Сталина — и того давно уже нет. Великий Садовод отправился в элизиум возделывать тамошние сады и укреплять боевой дух молодых яблонь.

На могиле Ниты рассыпаны красные розы. Он видит их при каждом посещении. Цветы — не от него.

От Гликмана он услышал историю про Людовика Четырнадцатого. «Король-солнце» был абсолютным правителем, почище Сталина. И при этом охотно воздавал должное людям искусства, признавая за ними тайную магию. Среди этих людей искусства оказался поэт Никола Буало-Депрео. Людовик Четырнадцатый у себя в Версале, в присутствии всего двора, объявил как о чем-то непреложном: «Мсье Буало понимает в поэзии больше меня». В этом месте, вероятно, раздался недоверчиво-льстивый смех: смеялись те, кто заверял великого правителя, что его осведомленность в поэзии — а также в музыке, в живописи, в архитектуре — не знает себе равных в целом свете, за всю историю. Возможно также, что заявление это было сделано из тактических соображений, с дипломатической скромностью. Так или иначе, королевские слова прозвучали во всеуслышание.

У Сталина была масса преимуществ перед этой дряхлой венценосной особой. Глубокое знание марксизма-ленинизма, интуитивное понимание народа, любовь к народной музыке, нюх на сюжетный формализм... Все, все, дальше не надо. Уши вянут.

Но даже Великий Садовод под личиной Великого Музыковеда так никого и не назначил Красным Бетховеном. Давиденко не оправдал возложенных на него ожиданий — взял да и умер на четвертом десятке. А Красного Бетховена так и не случилось.

Вот, кстати, еще любопытная история — про Тинякова. Красавец-мужчина, петербургский поэт. Писал довольно изящные стихи про розы, слезы и другие возвышенные материи. Затем грянула Революция, и вскоре Тиняков сделался поэтом ленинградским: стал писать не о любви, не о цветах, а о голоде. Когда совсем припекло, начал выходить на угол с картонкой на груди: «Подайте бывшему поэту». И прохожие не скупились, поскольку в России всегда чтили поэтов. Тиняков любил рассказывать, что нищенством зарабатывает куда больше, чем поэзией, и по вечерам ходит ужинать в дорогой ресторан.

Правдива ли последняя деталь? Вряд ли. Но поэты вообще склонны к преувеличениям. Что же до него самого — зачем ему картонка, если на груди поблескивают три ордена Ленина и шесть знаков лауреата Сталинской премии, а ужинать он ходит в ресторан Союза композиторов?

Один мужчина, хитроватый, смуглый, с рубиновой серьгой в ухе, держит монету большим и указательным пальцем. Показывает ее другому, бледному, который к ней не прикасается, а смотрит прямо на этого хитрована.

Был один странный период, когда Власть, решив, что Дмитрий Дмитриевич Шостакович не безнадежен, опробовала на нем новую тактику. Не дожидаясь конечного итога — завершенного сочинения, которое будут оценивать музыкально-политические специалисты, чтобы одобрить или разгромить, Партия в мудрости своей решила начать с азов: с идеологического состояния его души. В Союзе композиторов ему заботливо и великодушно назначили преподавателя — товарища Трошина, мрачноватого, немолодого обществоведа, призванного растолковать Дмитрию Дмитриевичу основы марксизма-ленинизма и помочь перековаться. И заранее прислали список обязательных источников, куда входили исключительно труды товарища Сталина, такие как «Марксизм и вопросы языкознания» и «Экономические проблемы социализма в СССР». Трошин пришел к нему домой и разъяснил свои задачи. Дело заключалось в том, что даже выдающиеся композиторы подчас допускали серьезные ошибки, на которые им публично указывалось в последние годы. Во избежание подобных ошибок, Дмитрию Дмитриевичу предписывалось повышать уровень своих политических, экономических и идеологических знаний. Эту декларацию о намерениях композитор выслушал с должной серьезностью, но вместе с тем извинился, что еще не успел проработать весь любезно присланный ему список, поскольку был занят сочинением новой симфонии памяти Ленина.

Товарищ Трошин окинул взглядом композиторский кабинет. Визитер не лукавил, не угрожал; он просто-напросто был одним из тех исполнительных, безропотных функционеров, коих извергает на поверхность любой режим.

— Значит, здесь вы работаете.

— Совершенно верно.

Преподаватель встал, сделал шажок-другой в одну сторону, в другую и похвалил устройство кабинета, а затем с виноватой улыбкой отметил:

— Но здесь, в кабинете выдающегося советского композитора, кое-чего не хватает.

В свою очередь, выдающийся советский композитор тоже встал, обвел взглядом хорошо знакомые стены и книжные шкафы и так же виновато покачал головой, будто смутившись оттого, что спасовал перед первым же вопросом своего наставника.

— Я не вижу портрета товарища Сталина, — произнес Трошин.

Последовала тягостная пауза. Композитор закурил и начал мерить шагами кабинет, как будто в поисках причины такого непростительного упущения или же в надежде отыскать необходимую икону вот за тем валиком или за этим ковром. В конце концов он заверил Трошина, что безотлагательно приобретет самый лучший портрет Великого Вождя.

— Что ж, хорошо, — ответил Трошин. — Теперь давайте приступим к делу.

Ученику периодически давалось задание конспектировать напыщенные мудрствования Сталина. К счастью, эту обязанность взял на себя Гликман, который исправно присылал ему из Ленинграда патриотические композиторские выжимки из творений Великого Садовода. Потом в учебной программе появились и другие основополагающие труды, как то: Маленков Г. М., «Типическое в искусстве как исключительное», доклад на XIX съезде КПСС.

К серьезному и постоянному присутствию в своей жизни товарища Трошина он относился с вежливой уклончивостью и тайной насмешкой. Предписанные им роли учителя и ученика они разыгрывали с каменными лицами; правда, у товарища Трошина другого лица, по всей видимости, не было. Он явно верил в непогрешимость своей миссии, а композитор вел себя учтиво, сознавая, что эти непрошеные посещения служат ему хоть какой-то защитой. И при этом каждый понимал, что такие шарады чреваты серьезными последствиями.

В то время бытовали две фразы, одна вопросительная, другая утвердительная, от которых людей прошибал пот и даже у сильных мужчин начиналась медвежья болезнь. Вопрос был такой: «Сталин знает?» А утверждение, еще более тревожное: «Сталин знает». Поскольку Сталин наделялся сверхъестественными способностями — всеведущий и вездесущий, он никогда не совершал ошибок, — простые смертные под его началом чувствовали (а может, воображали), что он не сводит с них взгляда. А вдруг товарищ Трошин не сумеет удовлетворительно преподать заповеди Карло-Марло и компании? Вдруг ученик, на вид серьезный, но с фигой в кармане, окажется необучаемым? Что тогда станется со всеми Трошиными? Ответ был ясен. И коль скоро наставник обеспечивал ученику защиту, то и ученик нес определенные обязательства по отношению к наставнику.

Но была и третья фраза, которую в его адрес, как и в адрес других, например Пастернака, произносили шепотом: «Сталин сказал его не трогать». Иногда за этим утверждением стояли факты, иногда — безумные домыслы или завистливые догадки. Почему он, бывший протеже изменника Родины Тухачевского, еще жив? Почему он жив после слов: «Это игра в заумные вещи, которая может кончиться очень плохо»? Почему он жив, если в газетах его заклеймили как врага народа? Почему Закревский исчез между субботой и понедельником? Почему его самого пощадили, хотя многие вокруг него были арестованы, сосланы, расстреляны или на десятилетия канули в небытие? Ответ был один: «Сталин сказал его не трогать».

А если так (узнать правду нет никакой возможности — ни у него, ни у тех, кто изрекал эту фразу), то надо быть идиотом, чтобы вообразить, будто это дает ему вечную гарантию безопасности. Чем попасть на заметку Сталину, лучше уж безымянно прозябать в тени. Те, кто оказывался в фаворе, нечасто удерживали свои позиции; вопрос заключался лишь в том, когда они впадут в опалу. Сколько важных винтиков советского образа жизни оказалось при неуловимой игре света давней помехой всем прочим винтикам?

Машина притормозила у перекрестка; до него донесся скрежет — это водитель потянул на себя ручной тормоз. Вспомнилась история с покупкой самой первой «победы». Тогда было правило, что покупатель обязан лично принимать автомобиль. Водительские права были у него еще с довоенных времен, и он в одиночку направился в автомагазин. Перегоняя машину к дому, он почувствовал, что «победа» барахлит, и заподозрил, что ему подсунули неисправную. Прижавшись к бордюру, стал возиться с дверным замком, и тут его окликнул прохожий: «Эй, гражданин в очках, что у вас с машиной?» От колес валил дым: всю дорогу от магазина он ехал на ручнике. С техникой он не в ладах, это правда.

А потом вспомнилось, как в консерватории он ассистировал на экзамене по марксистско-ленинской философии. Старший экзаменатор ненадолго вышел и оставил его вместо себя. И тут перед ним уселась девушка, которая от волнения так теребила листки с ответами на вопросы, что ему стало ее жалко.

— Хорошо, — сказал он, — оставим ваш билет в стороне. У меня к вам один вопрос: что такое ревизионизм?

На такой вопрос ответил бы даже он сам. Ревизионизм был столь мерзопакостным, еретическим явлением, что у самого этого слова, казалось, из головы торчали рога.

Барышня чуть задумалась и произнесла:

— Ревизионизм — это высшая стадия развития марксизма-ленинизма.

Услышав такой ответ, он улыбнулся и поставил ей пятерку.

Когда все шло наперекосяк, когда думалось, что «чепуха совершенная делается на свете», он утешался вот чем: хорошая музыка всегда остается хорошей музыкой, а великая музыка незыблема. Любую прелюдию и фугу Баха можно играть в любом темпе, с любыми динамическими оттенками или без таковых — все равно это будет великая музыка, и никакая каналья, которая молотит по клавиатуре обеими пятернями, не сможет ее испортить. А кроме всего прочего, играть такую музыку с цинизмом просто невозможно.

В сорок девятом году, когда нападки на него еще были в разгаре, он написал свой Четвертый струнный квартет. Его разучили бородинцы, чтобы исполнить перед дирекцией музыкальных учреждений при Минкульте и получить «лит»: без этого не могло быть ни публичного исполнения, ни выплаты гонорара композитору. Учитывая шаткость своего положения, особых иллюзий он не питал, но, ко всеобщему удивлению, прослушивание оказалось успешным, квартет пропустили и оформили ведомость на оплату. Вскоре после этого поползли слухи, что бородинцы разучили квартет в двух версиях: аутентичной и стратегической. Первая соответствовала изначальному композиторскому замыслу, тогда как вторая, имеющая целью усыпить бдительность официальных инстанций, выдвигала на первый план «оптимизм» этого сочинения и верность его нормам социалистического искусства. Поговаривали, что здесь налицо использование иронии для защиты от Власти.

Излишне говорить, что такое невозможно, однако история эта передавалась из уст в уста и вскоре стала приниматься на веру. А ведь это полная чушь, правды тут не было и быть не могло, потому что в музыке лгать не получается. Бородинцы могли сыграть Четвертый квартет только так, как задумано композитором. Музыка — хорошая музыка, великая музыка — отличается плотной, неразложимой чистотой. Она может быть горькой, отчаянной, пессимистической, но циничной — никогда. Если музыка трагична, то люди, которые слушают ослиными ушами, обвиняют ее в цинизме. Но если композитором владеет горечь, или отчаяние, или пессимизм, значит он во что-то верит.

Что можно противопоставить шуму времени? Только ту музыку, которая у нас внутри, музыку нашего бытия, которая у некоторых преобразуется в настоящую музыку. Которая, при условии, что она сильна, подлинна и чиста, десятилетия спустя преобразуется в шепот истории.

За это он и держался.

Его интеллигентные, утомительные обманные беседы с товарищем Трошиным продолжались. Как-то раз преподаватель явился в нехарактерно приподнятом расположении духа.

— Неужели это правда, — захлебывался он, — неужели это правда... я тут узнал... что пару лет назад вам звонил сам Иосиф Виссарионович?

— Да, совершенно верно.

Композитор показал ему настенный телефонный аппарат, совсем не тот, по которому в свое время отвечал Власти. Трошин впился взглядом в телефон, как в музейную реликвию.

— Насколько же великий человек — Сталин! За всеми государственными делами, за всеми заботами он помнит о каком-то Шостаковиче. Руководя половиной земного шара, он находит время для вас!

— Да, да, — согласился он с притворным жаром. — Воистину поразительно.

— Я понимаю, вы известный композитор, — продолжал наставник, — но кто вы такой по сравнению с нашим Великим Вождем?

Догадываясь, что Трошин не знаком с романсом Даргомыжского, он сурово ответил:

— Ведь я червяк в сравненьи с ним! В сравненьи с ним, с лицом таким. Червяк.

— Вот именно, что червяк. У вас, я вижу, проявляется способность к здоровой самокритике.

Словно напрашиваясь на дальнейшую похвалу, он со всей рассудительностью, на какую только был способен, повторил:

— Да, я червяк, простой червяк.

И Трошин ушел, радуясь достигнутым успехам.

Но в композиторском кабинете так и не появился лучший портрет Сталина, какой только можно было купить в Москве. Несколько месяцев спустя, в процессе перевоспитания Дмитрия Дмитриевича, объективная советская действительность изменилась. Попросту говоря, Сталин умер. На этом визиты наставника прекратились.

Шофер нажал на тормоз, и машина остановилась у бордюра. Это была «волга», вполне комфортабельная. Ему всегда хотелось купить автомобиль зарубежного производства. Причем не какой-нибудь, а «мерседес». И валюта лежала в Агентстве по авторским правам, но тратить ее на приобретение импортного автомобиля не разрешалось. А советские машины чем вам плохи, Дмитрий Дмитриевич? Разве на них ездить нельзя, разве они не надежны, разве не созданы в расчете на совстские дороги? Как это будет выглядеть, если ведущий советский композитор оскорбит советский автопром покупкой «мерседеса»? Разве члены Политбюро разъезжают на автомобилях капиталистического производства? Вы же сами понимаете: это просто немыслимо.

Прокофьеву разрешили выписать с Запада новенький «форд». Сергей Сергеевич был им чрезвычайно доволен до тех пор, пока не сбил девушку в центре Москвы, не справившись с управлением. В каком-то смысле для Прокофьева это было характерно. Он вечно подъезжал не с той стороны.

Естественно, смерть не знает, что такое нужный момент: к одним она приходит слишком рано, к другим слишком поздно. Некоторые более или менее точно подгадывают год, но потом выбирают крайне неудачную дату. Бедняга Прокофьев: умереть в один день со Сталиным! Сталин пережил его на пятьдесят минут. Умереть, так и не узнав, что Великого Тирана не стало! Вот таков был Сергей Сергеевич. Всегда держал руку на пульсе времени, но с Россией вечно шел не в ногу. А смертью своей неуместно попал в такт.

Имена Прокофьева и Шостаковича всегда будут связаны. Но и будучи в одной связке, друзьями они так и не стали. Каждый высоко ценил — за редкими исключениями — музыку другого, но Сергей Сергеевич слишком сильно пропитался Западом. Из России он уехал в восемнадцатом году и, если не считать нескольких кратких визитов (как в тот раз, когда произошел курьез с пижамой), жил в эмиграции до тридцать шестого года. К тому времени он утратил всякую связь с советской действительностью. Решил, что его начнут восхвалять за проявленный патриотизм, что тирания его отблагодарит, — ну не наивность ли? И даже когда их обоих вызывали на ковер чиновники от музыки, Сергей Сергеевич думал, что все вопросы сводятся исключительно к музыке. Его спросили: чем грешит Восьмая симфония вашего коллеги, Дмитрия Дмитриевича? Да конкретно ничем, ответил он, прагматик до мозга костей, разве что музыкальная фраза нуждается в большей четкости, а вторую и четвертую части хорошо бы подсократить. А когда начались нападки на его собственные произведения, он ответил в таком духе: поймите, я владею множеством стилей, вы только скажите, какой, по-вашему, предпочтительнее. Он гордился своим мастерством — но от него требовалось нечто совсем другое. Никто не требовал показной приверженности мещанским вкусам и бессмысленным критическим лозунгам — требовалось, чтобы ты в них уверовал. Требовались послушание, соучастие, продажность. А до Сергея Сергеевича это так и не дошло. Он утверждал (смело, конечно): убийственный разнос музыкального произведения за «формализм» означает лишь то, что «оно непонятно с первого раза». Его отличала какая-то изощренная невинность. А душа по большому счету была заячья.

К Сергею Сергеевичу он часто обращался мыслями в эвакуации: как тот на барахолке в Алма-Ате распродает свои шикарные костюмы европейского покроя. Поговаривали, что при этом он заправски торгуется и всегда выбивает для себя лучшую цену. На чьи же плечи наброшены сейчас его пиджаки? Да не в одежке дело: Прокофьев был падок на любые атрибуты успеха. И славу понимал на западный манер. Любил словечко «занятно». Несмотря на сценический успех «Леди Макбет», он, пролистав партитуру в присутствии автора, объявил, что произведение «занятное». Это словцо надо было бы запретить вплоть до смерти Сталина. До которой Сергей Сергеевич не дожил.

Что же до него самого, жизнь за рубежом его никогда не привлекала. Он — русский композитор и живет в России. Никаких альтернатив он не рассматривал. Хотя и вкусил краткий миг западной славы. В Нью-Йорке он зашел в аптеку за аспирином. Через десять минут после его ухода знакомые увидели, как провизор вывешивает в витрине объявление: «ЗДЕСЬ ПОКУПАЕТ ДМИТРИЙ ШОСТАКОВИЧ».

Он больше не ожидал расстрела — этот страх остался в прошлом. Но расстрел — еще не самое страшное. В январе сорок восьмого его старинный друг Соломон Михоэлс, главный режиссер Московского государственного еврейского театра, был убит по приказу Сталина. В тот день, когда это случилось, Жданов устроил композитору пятичасовой разнос за то, что он своей музыкой искажает советскую действительность, что неспособен к прославлению великих побед и прикормлен врагами. После этого он сразу отправился к Михоэлсам. Обнял дочь режиссера и ее мужа. А затем, повернувшись спиной к притихшим, перепуганным родственникам, уткнулся лбом в книжный шкаф и выговорил: «Я ему завидую». Имея в виду, что лучше смерть, чем этот нескончаемый ужас.

Нескончаемый ужас длился еще пять лет. Пока не умер Сталин и не появился Хрущев. Замаячила перспектива оттепели, осторожная надежда, неосторожная эйфория. Да, дышать стало легче, некоторые грязные тайны выплыли на поверхность, но внезапной идеалистической приверженности правде не случилось — пришло лишь понимание, что правду теперь стало возможно использовать в политических интересах. И сама Власть не сжалась: она просто мутировала. Кошмарные бдения у лифта и ожидание пули в затылок остались в прошлом. Но интерес Власти к его личности не угас: к нему по-прежнему тянутся руки, а он с детства страшится цепких рук.

Никита Кукурузник. Сыпал тирадами насчет «абстракционистов и педерастов» — мол, это явно одно и то же. Как Жданов некогда заклеймил Ахматову «не то блудницей, не то монахиней», так Никита Кукурузник на совещании деятелей литературы и искусства высказался о Дмитрии Дмитриевиче: «Музыка его — сплошной джаз... от нее живот болит. И я восхищаться должен? От джаза — одни колики». Но это все же лучше, чем слышать, что ты прикормлен врагами народа. И в эти более либеральные времена кое-кому из допущенных на встречу с Первым секретарем позволялось высказывать — с должным уважением, естественно, — противоположные мнения. Нашелся даже один дерзкий — или безумный — поэт, который заявил, что среди абстракционистов есть выдающиеся художники. И привел в пример Пикассо. На что Кукурузник резко бросил:

— Горбатого могила исправит.

В прежние времена такой обмен репликами грозил поэту напоминанием об игре в заумные вещи, которая может окончиться очень плохо. Но это был Хрущев. От его перлов холопы с наглыми лицами разворачивались то в одну сторону, то в другую, однако непосредственного страха за свое будущее никто уже не испытывал. Никита мог сначала заявить, что от твоей музыки у него колики в животе, а затем, после обильного банкета на съезде Союза композиторов, едва ли не рассыпаться в похвалах. В тот вечер он распространялся на тему о том, что приличную музыку можно послушать и по радио, вот только иногда передают такое, что больше похоже на, как бы лучше сказать, воронье карканье... И пока холопы с наглыми лицами заходились от смеха, начальственный взгляд упал на композитора, не чуждого джазу, от которого в животе колики. Но Первый секретарь пребывал в благостном, даже великодушном настроении.

— Вот, к примеру, Дмитрий Дмитриевич — он прозрел, когда только-только начал сражаться с этой... как ее... со своей симфонией.

Нежданно-негаданно опала закончилась, и Людмила Лядова, которая стряпала популярные песенки, подскочила его расцеловать, а потом стала распинаться, совершенно бредово, насчет всеобщей любви к Дмитрию Дмитриевичу. Собственно, особой роли это не играло в любом случае, потому что дела уже обстояли совсем не так, как раньше.

Но в этом и крылась его ошибка. Раньше на кону стояла смерть, а нынче — жизнь. Раньше людей пробирала медвежья болезнь, а нынче им позволили выражать несогласие. Раньше были приказы, а нынче — рекомендации. Поэтому его Разговоры с Властью — хотя до него не сразу это дошло — стали более губительными для души. Прежде в них испытывалась его смелость; нынче в них испытывается размах его трусости. И работают над ним усердно, со знанием дела, с глубоким, но совершенно безучастным профессионализмом, как жрецы, что колдуют над душой умирающего.

Слабо разбираясь в изобразительном искусстве, он не решился бы спорить с тем поэтом насчет авангардизма; но зато Пикассо он знал как подлеца и труса. Очень легко быть коммунистом, если ты не живешь при коммунистическом режиме! Пикассо всю жизнь малевал всякое дерьмо и знай нахваливал советскую власть. Но боже упаси, чтобы какой-нибудь несчастный мазила, придавленный советской властью, осмелился рисовать, как Пикассо. Вот сейчас ты волен говорить правду — так почему бы тебе не поднять голос за тех, кто лишен такой возможности? Вместо этого сидит, богатей, в Париже и на юге Франции, где снова и снова штампует свою убогую голубку мира. Глаза бы не глядели на эту голубку, будь она неладна. Рабство идейное столь же ненавистно, как рабство физическое.

А Жан-Поль Сартр? Как-то раз, собираясь в Агентство по авторским правам, которое находится в районе Третьяковки, композитор взял с собой Максима. Там, у окошка кассы, стоял великий философ и скрупулезно пересчитывал толстую пачку рублей. В те времена авторские гонорары выплачивались зарубежным писателям только в исключительных случаях. Пришлось шепотом объяснить Максиму: «Мы не отказываем в материальном поощрении тем деятелям, которые переходят из лагеря реакции в лагерь прогресса».

Стравинский — это другая история. К музыке Стравинского он испытывал неизменное восхищение. И в качестве доказательства держал большую фотографию собрата-композитора под стеклом на своем письменном столе. Что ни день, смотрел на нее и вспоминал тот золоченый салон в отеле «Уолдорф-Астория»; вспоминал предательство и свой жгучий стыд.

С наступлением оттепели музыку Стравинского вновь начали исполнять, и Хрущева, который разбирался в музыке как свинья в апельсинах, убедили пригласить знаменитого изгнанника приехать с визитом. Это был бы настоящий пропагандистский козырь, не говоря уже обо всем прочем. Вероятно, кое-кто надеялся вырвать Стравинского из числа безродных космополитов и вернуть в стан чисто русских композиторов. А Стравинский, в свою очередь, надеялся обнаружить хоть какие-то следы той старой России, которую давно оставил позади. Если так, то обе стороны жестоко обманулись. Но Стравинский хотя бы позабавился. На протяжении десятилетий советская власть клеймила его позором как лакея капитализма. Поэтому, когда ему навстречу вышел с фальшивой улыбкой и протянутой для рукопожатия пятерней какой-то музыкальный чиновник, Стравинский вместо руки подал ему свою трость. Смысл этого жеста был прозрачен: кто из нас теперь лакей?

Только одно дело — уколоть советскую власть, когда она стала вегетарианкой, и совсем другое — протестовать, когда она плотоядна. Стравинский десятилетиями сидел на вершине своего американского олимпа, отрешенный, сосредоточенный на себе, равнодушный, когда у него на родине травили художников и писателей вместе с семьями, гноили за решеткой, изгоняли, убивали. Дыша воздухом свободы, сказал ли он публично хоть слово протеста? Такое молчание достойно презрения; восхищаясь Стравинским-композитором, он в той же степени презирал Стравинского-мыслителя. Что ж, в этом, наверное, и кроется ответ на вопрос о честности личной и честности художественной; отсутствие первой не обязательно бросает тень на вторую.

Встречались они за время визита изгнанника дважды. Оба раза безрезультатно. Сам он был насторожен и скован, Стравинский — дерзок и самоуверен. Что они могли друг другу поведать? Он спросил:

— Как вы относитесь к Пуччини?

— Терпеть не могу, — ответил Стравинский.

На что он сказал:

— Я тоже.

Неужели хоть один из них это подразумевал — именно то, что было сказано ими вслух? Вероятно, нет. Один инстинктивно доминировал, другой инстинктивно подчинялся. С «историческими встречами» вечно такая штука.

Была у него также «историческая встреча» с Ахматовой. Пригласил он ее к себе в Репино. Она приехала. Он сидел и молчал, она тоже; минут через двадцать она встала и уехала. А впоследствии говорила: «Это было прекрасно».

Много чего хорошего можно сказать о молчании — о том пространстве, где кончаются слова и начинается музыка; но и музыка кончается там же. Он порой сравнивал положение свое и Сибелиуса, который за последнюю треть жизни не написал ни одной ноты, а только восседал на троне, являя собой славу финского народа. Это не самое плохое существование; но не у каждого достанет сил на молчание.

Сибелиус, по всей видимости, мучился неудовлетворенностью и презирал себя. Рассказывали, что в тот день, когда он сжег все свои сохранившиеся рукописи, у него гора с плеч свалилась. Это можно понять. Равно как и связь между презрением к себе и алкоголем — одно тянет за собой другое. Он слишком хорошо знал эту связь, эту обусловленность.

Из уст в уста передавалась другая версия ахматовского рассказа о визите в Репино. По этой версии, Ахматова якобы сказала: «Мы беседовали двадцать минут. Это было прекрасно». Если она действительно так заявила, это чистой воды фантазия. Но с «историческими встречами» всегда такая штука. Чему будут верить потомки? Подчас ему кажется, что у любого события есть иная версия.

Когда у них со Стравинским зашел разговор о дирижировании, он признался:

— Не знаю, как побороть страх.

В то время он считал, что речь идет исключительно о дирижировании. Теперь уверенности поубавилось.

Быть убитым он больше не боялся, что правда, то правда, и это сулило большие преимущества. Ему определенно позволят жить и получать самое лучшее медицинское обслуживание. Но в некотором смысле от этого только хуже. Потому что всегда есть вероятность опустить жизнь до самой низкой отметки. О мертвых такого не скажешь.

Он ездил в Хельсинки на вручение премии имени Сибелиуса. В том же году, между майскими и октябрьскими праздниками, его избрали членом академии «Санта-Чечилия» в Риме, наградили орденом искусств и литературы в Париже, сделали почетным доктором Оксфордского университета и членом Королевской музыкальной академии в Лондоне. Он купался в почестях, как та креветка в соусе. Оксфорд свел его с Пуленком, который также получал почетную степень. Им показали рояль, который, по слухам, некогда принадлежал Форе. Из уважения каждый взял пару аккордов.

Рядовому гражданину такие события доставили бы огромное удовольствие и на старости лет послужили бы сладостными, заслуженными утешениями. Но он же не рядовой гражданин; его осыпали почестями — и одновременно забивали ему глотку овощами. Насколько тоньше стали теперь нападки. К нему подъезжали с улыбкой, с парой рюмок водки, с сочувственными шуточками насчет колик в животе Первого секретаря, потом наступал черед лести, обхаживаний и молчаливых ожиданий... случалось, он напивался, а иногда просто не понимал, что происходит, пока не возвращался к себе домой или в квартиру к кому-нибудь из друзей, где пускал слезу, рыдал и занимался самобичеванием. Доходило до того, что он едва ли не каждый день объявлял себя презренной личностью. Жалел, что не умер молодым.

К слову, «Леди Макбет» убили вторично. Опера была запрещена двадцать лет — с того самого дня, когда Молотов, Микоян и Жданов хмыкали и глумились, а за шторой прятался Сталин. Теперь, когда Сталин со Ждановым отошли в мир иной и была объявлена оттепель, он сделал новую редакцию оперы с помощью Гликмана, друга и помощника еще с тридцатых годов. Того самого Гликмана, в чьем присутствии он вклеивал в альбом статью «Сумбур вместо музыки». Новую редакцию они предложили МАЛЕГОТу, который обратился за разрешением на постановку. Но процесс буксовал, и для ускорения дела кто-то посоветовал ему лично ходатайствовать перед первым заместителем Председателя Совета министров СССР. Что, конечно, было унизительно, поскольку первым замом Предсовмина СССР являлся не кто иной, как Вячеслав Михайлович Молотов.

Тем не менее письмо он написал, и в Министерстве культуры создали комиссию для рассмотрения новой редакции. В знак уважения к самому знаменитому отечественному композитору члены комиссии высказали готовность заседать у него дома, на Можайском шоссе. Загодя приехали Гликман, а также директор и главный дирижер МАЛЕГОТа. В комиссию входили композиторы Кабалевский и Чулаки, музыковед Хубов и дирижер Целиковский. С их появлением он всерьез разнервничался. Вручил им печатные экземпляры либретто. Потом сыграл всю оперу целиком, пропевая каждую партию; Максим сидел рядом и переворачивал страницы.

Наступила пауза, которая переросла в гнетущее молчание, а потом комиссия приступила к прениям. Прошло двадцать лет; перед ним была не сидящая в бронированной ложе четверка лиц, облеченных государственной властью, а четверка музыкантов — опытных, с чистыми, не замаранными кровью руками, — сидящая в квартире у коллеги-музыканта. А с виду — будто ничего не изменилось. Они сравнили новую редакцию с тем, что было написано двумя десятилетиями ранее, и нашли ее столь же несостоятельной. Заявили, что положений статьи «Сумбур вместо музыки» никто официально не отменял и тезисы ее до сих пор остаются в силе. К примеру, о том, что музыка ухает, кряхтит, сопит и задыхается. Гликман пытался возражать, но Хубов тут же заткнул ему рот. Кабалевский похвалил отдельные фрагменты, но вместе с тем отметил, что в целом сочинение это вредное, так как оправдывает действия убийцы и распутницы. Представители МАЛЕГОТа, что один, что другой, как в рот воды набрали, а сам он с закрытыми глазами сидел на диване и слушал, как члены комиссии состязаются в оскорблениях.

По результатам голосования оперу не рекомендовали к возобновлению по причине вопиющих музыкальных и идеологических просчетов. Кабалевский, не желая идти на конфликт, сказал:

— Митя, к чему такая спешка? Время для этой оперы еще не пришло.

И никогда не придет, подумалось ему. Поблагодарив членов комиссии за «критику», он позвал Гликмана в ресторан «Арагви», где оба сильно напились в отдельном кабинете. Вот одно из преимуществ старости: от пары рюмок уже не валишься с ног. При желании можешь пить ночь напролет.

Дягилев постоянно зазывал Римского-Корсакова в Париж. Композитор отказывался. В итоге царственный импресарио задумал военную хитрость, которая с необходимостью требовала композиторского присутствия. Загнанный в угол, Корсаков прислал ему открытку следующего содержания: «„Ехать так ехать“, — сказал попугай, когда кошка тащила его из клетки».

Да, жизнь частенько поступает, как та кошка. Он и сам не раз пересчитывал головой ступеньки.

Ему всегда была свойственна методичность. Раз в два месяца ходить в парикмахерскую и — пусть это уже мнительность — с такой же периодичностью посещать зубного врача. Надо, не надо — постоянно мыть руки; не допускать, чтобы в пепельнице скапливалось больше двух окурков. Следить, чтобы все работало бесперебойно: водоснабжение, электричество, канализация. В календаре помечать дни рождения близких, друзей и коллег, чтобы вовремя поздравить открыткой или телеграммой. Приезжая на дачу, первым делом отправлять почтовую карточку на свой городской адрес, чтобы убедиться в надежности почтовой связи. Пусть это своего рода мания, но польза от нее очевидна. Если обстановка выходит из-под контроля, надо брать контроль на себя, где только возможно. Даже в мелочах.

Тело остается нервным, как прежде, если не хуже. А дух нынче уже не мечется, но осторожно ковыляет от одной тревоги к другой.

Интересно, что подумал бы тот мятежный духом молодой человек о старике, который таращится с заднего сиденья персонального автомобиля.

Интересно, чем закончилась рассказанная Мопассаном история, которая настолько поразила его в молодости, — новелла о страстной, безрассудной любви. Рассказано ли в ней о последствиях драматического свидания влюбленных? Нужно будет проверить, если удастся найти ту книгу.

Сохранилась ли у него вера в Свободную Любовь? Наверное, сохранилась, чисто теоретически: для молодых, рискованных, беззаботных. Но когда пошли дети, уже не может быть такого, чтобы каждый из родителей искал собственных наслаждений — за это неизбежно придется платить чрезмерную цену. Он знал супружеские пары, которые настолько увлекались своей сексуальной раскрепощенностью, что в итоге сыновья и дочки попадали в детские дома.

Если цена столь высока, должна быть какая-то компенсация. Так устроена вся жизнь после той стадии, что благоухает гвоздичным маслом. Например, если один из супругов исповедует Свободную Любовь, второй должен заниматься детьми. Свободой чаще пользуется мужчина, но в некоторых случаях бывает, что и женщина. Без учета подробностей, с расстояния, именно так, наверное, выглядел его собственный брак. Сторонний наблюдатель отметил бы, что Нина Васильевна часто отсутствует: то работает, то развлекается, то совмещает одно с другим. Ну не подходит она, Нита, на роль хранительницы домашнего очага — ни в силу темперамента, ни в силу привычки.

Один человек может искренне верить в права другого — в его права на Свободную Любовь. Но как ни крути, между принципами и воплощением их нередко пролегает какая-нибудь боль. А посему он с головой ушел в музыку, которая целиком поглощала его и, следовательно, приносила успокоенность. Сливаясь с музыкой, он неизбежно отдалялся от детей. Временами, надо признать, позволял себе увлечения на стороне. Если не сказать большего. Старался не ударить в грязь лицом, а что еще остается мужчине?

Нина Васильевна вся лучилась радостью и жизнью, была общительна, жила в ладу с собой — стоит ли удивляться, что ее все любили. Так он убеждал себя самого, и это была чистая правда, вполне понятная, хотя временами болезненная. Но знал он и то, что она его тоже любила, что защищала от многих напастей, с которыми он не умел или не хотел справляться сам; а также и то, что она им гордилась. Все это было важно. Потому что сторонний наблюдатель, который мало в чем разбирался, не понял бы вообще ничего в тех событиях, которые сопутствовали ее смерти. В то время Нита была в Армении с А. и внезапно слегла. Он срочно вылетел туда вместе с Галей, но Нины почти сразу не стало.

Если ограничиться фактами: в Москву они с Галей вернулись поездом. Тело Нины Васильевны в сопровождении А. отправили самолетом. Во время похорон все было черно-бело-красным: земля, снег и алые розы, которые принес А. У могилы он держал А. поблизости от себя. И сам оставался рядом с ним — точнее, оставлял А. рядом с собой — еще примерно с месяц. А потом, приходя к Ните, часто видел, что вся могила усыпана красными розами. Их вид как-то успокаивал. Некоторые не могли этого понять.

Однажды он спросил Ниту, не задумала ли она его бросить. Нита рассмеялась и ответила: «Ну разве что А. откроет новую элементарную частицу в космических лучах и станет нобелевским лауреатом». Он тоже посмеялся, так и не определив степень вероятности обоих событий. Некоторые не смогли бы понять, что тут смешного. Во всяком случае, тот разговор не стал для него неожиданностью.

Было только одно обстоятельство, с которым он не смог примириться. Когда они отдыхали на Черном море, обычно в разных санаториях, А. заезжал за Нитой на своем черном «бьюике» и увозил ее кататься. Поездки эти никого не волновали. Тем более что у него всегда была музыка — он обладал даром в любом месте отыскивать рояль. Сам А. машину не водил: ездил с шофером. Нет-нет, шофер тоже никого не волновал. Проблема заключалась в «бьюике». Свой «бьюик» А. купил у армянина-репатрианта. И ему слова не сказали. Вот в чем проблема. У Прокофьева был «форд», у А. — «бьюик», у Славы Ростроповича — «опель», потом еще один «опель», «лендровер» и, наконец, «мерседес». В то время как ему, Дмитрию Дмитриевичу Шостаковичу, не дали разрешения приобрести автомобиль зарубежного производства.

На протяжении многих лет ему приходилось выбирать между «КИМ-10-50», «ГАЗ-М-1», «победой», «москвичом» и «волгой»... Так что да, он завидовал А., у которого был сверкающий хромом «бьюик», всюду производивший фурор своим кожаным салоном, причудливыми фарами, «плавниками». Он был почти как живое существо, этот «бьюик». И сидела в нем Нина Васильевна, его златоглазая жена. При всей широте его взглядов это порой тоже выливалось в проблему.

Он вернулся к новелле Мопассана — к той самой, о любви без преград, без тревог о завтрашнем дне. Как выяснилось, забыл он об одном: с наступлением завтрашнего дня молодой командир гарнизона был примерно наказан за своеволие — весь его батальон перебросили очень далеко. А в конце Мопассан подытожил собственное повествование. Очевидно, вопреки первоначальному замыслу автора, из-под его пера вышла отнюдь не героическая история любви, достойная Гомера и других античных писателей, а дешевая современная безделица в духе Поля де Кока: и, очевидно, командир гарнизона, подвыпив в офицерской столовой, напропалую бахвалился своей дерзкой выходкой и любовными утехами, послужившими ему наградой. Вот вам современная любовная история, нелепая и в то же время героическая, заключает Мопассан; хотя изначальный порыв и ночь любви остаются чистыми и трогательными.

Размышления об этой новелле наводили на мысли о некоторых подробностях его собственной жизни: как Нита радовалась, что ее обожает другой; как отпустила шутку насчет Нобелевской премии. И теперь ему стало казаться, что надо бы посмотреть на себя иначе: как на господина Париса, коммерсанта-мужа, встреченного штыками и вынужденного томиться всю ночь на железнодорожной станции Антиба, в зале ожидания.

Он переключил внимание на водительское ухо. Водитель на Западе — слуга. Водитель в Советском Союзе — представитель хорошо оплачиваемой, престижной профессии. После войны многие механики-фронтовики подались в шоферы. С персональным водителем следует обращаться уважительно. Ни слова критики о его манере вождения или состоянии автомобиля: малейшее замечание — и машину недели на две отгонят в ремонт по причине какой-то таинственной поломки. Полагается также закрывать глаза на то, что твой персональный водитель, когда его услуги не требуются, скорее всего, подхалтуривает где-нибудь в городе. Короче говоря, положено перед ним заискивать, и это справедливо: в каком-то смысле он важнее тебя. Некоторые водители достигли таких высот, что поднанимают собственных водителей. А может ли композитор достичь таких высот, чтобы за него сочиняли музыку другие? Вероятно, может: всякие ходят слухи. Поговаривают, что Хренников так занят пресмыкательством перед Властью, что успевает лишь набрасывать основную тему, а оркестровку поручает другим. Быть может, так оно и есть, только разница невелика: возьмись Хренников оркестровать самостоятельно — ни лучше, ни хуже все равно не выйдет.

Хренников по-прежнему на коне. Ждановский прихвостень, который рьяно угрожает и запугивает; который не щадит даже своего бывшего педагога Шебалина; который держится так потому, что одним росчерком пера может лишить композиторов права на приобретение нотной бумаги. Хренников был замечен Сталиным: рыбак рыбака видит издалека.

Те, кому случалось попадать в зависимость от Хренникова как от продавца нотной бумаги, охотно рассказывали одну историю про первого секретаря Союза композиторов. Однажды вызвали его в Кремль для обсуждения кандидатур на Сталинскую премию. Как водится, список был подготовлен правлением союза, но окончательное решение оставалось за Сталиным. По непонятной причине в тот раз Сталин сбросил отеческую маску Рулевого, чтобы указать продавцу нотной бумаги на его место. Хренникова провели в кабинет; Сталин и бровью не повел — сделал вид, что погружен в работу. Хренников задергался. Сталин поднял взгляд. Хренников стал что-то бубнить насчет списка. В ответ Сталин, как говорится, пригвоздил его взглядом. И Хренников обделался. В ужасе пробормотал надуманное извинение и пулей вылетел из кабинета Власти. За дверью ожидали двое дюжих санитаров, привычных к таким конфузам: его подхватили под белы руки, отволокли в санузел, подмыли из шланга, дали отдышаться и вернули брюки.

Конечно, ничего сверхъестественного в этом не было. Нельзя осуждать человека, если его пробрал понос в присутствии тирана, которому ничего не стоит по собственной прихоти стереть в порошок любого. Нет, Тихон Николаевич Хренников заслуживал презрения по другой причине: о своем позоре он рассказывал с восторгом.

Теперь Сталин ушел в мир иной, Жданов тоже, культ личности развенчали, но Хренников попрежнему сидит в своем кресле: непотопляемый, он лебезит перед новыми хозяевами, как лебезил перед старыми, признает, что да, были, вероятно, допущены отдельные перегибы, которые теперь благополучно исправлены. Вне сомнения, Хренников переживет их всех, но когда-нибудь и он отойдет в мир иной. Правда, нужно учитывать, что закон природы может дрогнуть и Хренников будет жить вечно, как постоянный и необходимый символ восхищения советской властью, сумевший сделать так, чтобы и советская власть его полюбила. Если даже не сам Хренников, то его двойники и потомки будут жить вечно, вне зависимости от каких-либо перемен.

Приятно думать, что смерть тебе не страшна. Страшна жизнь, а не смерть. По его мнению, людям нужно чаще задумываться о смерти, чтобы свыкнуться с этой мыслью. А допускать, чтобы смерть подкрадывалась к тебе незаметно, — это не лучшее решение. С ней надо быть накоротке. О ней надо говорить: либо словами, либо — как в его случае — музыкой. Чем раньше начнешь задумываться о смерти, тем меньше наделаешь ошибок.

Впрочем, нельзя сказать, что сам он полностью избежал ошибок.

А иногда начинало казаться, что, не зацикливайся он на смерти, ошибок было бы совершено ровно столько же.

А иногда начинало казаться, что как раз смерть и страшит его сильнее, чем все остальное.

Одной из его ошибок был второй брак. Нита умерла; не прошло и года, как скончалась мама. Два самых ощутимых женских присутствия в его жизни, которые давали ему направление, наставление, защиту. Одиночество угнетало. Его оперу зарубили вторично. Он знал, что неспособен на легкие отношения с женщинами; ему требовалось, чтобы рядом была жена. А посему, возглавляя жюри конкурса на звание лучшего сводного хора в рамках Всемирного фестиваля молодежи и студентов, он приметил Маргариту. Некоторые находили в ней сходство с Ниной Васильевной; он этого не видел. Она работала в ЦК комсомола, и, по всей вероятности, ему подложили ее с умыслом, хотя это его не оправдывает. Музыкой она не увлекалась и почти не интересовалась. Пыталась угождать, но безуспешно. Его друзья, которым она сразу не приглянулась, порицали этот брак, зарегистрированный, надо признать, внезапно и тайно. Галя и Максим приняли ее в штыки (да и можно ли было ожидать иного, если она так стремительно заняла место их матери?); у нее так и не получилось наладить с ними контакт. Однажды, когда она стала на них жаловаться, он с непроницаемым выражением лица предложил:

— Давай убьем детей и будем жить долго и счастливо.

Маргарита эту ремарку не поняла и даже, как видно, не уловила юмора.

Они расстались, а потом и развелись. Виноват в этом был он один. Это он создал для Маргариты невыносимые условия. От одиночества лез на стенку. Дело известное.

Он не только устраивал турниры по волейболу, но и судил теннисные матчи. Однажды отдыхал в правительственном санатории в Крыму и там выступил в роли теннисного арбитра. На корт ежедневно выходил генерал армии Серов, который тогда занимал должность председателя КГБ. Если генерал оспаривал судейские возгласы «аут» или «линия», он, упиваясь своей временной властью, неизменно осаживал главного чекиста фразой: «С судьей не спорят!» Это были крайне редкие разговоры с Властью, которые доставляли ему истинное наслаждение.

Был ли он тогда наивен? Разумеется, да. Но он так привык к угрозам, шантажу и злобствованиям, что утратил бдительность в отношении похвал и здравиц, а зря. Таких доверчивых, как он, оказалось немало. Когда Никита разоблачил культ личности, когда сталинские перегибы были признаны на официальном уровне, а некоторые жертвы посмертно реабилитированы, когда заключенные стали возвращаться из лагерей, когда напечатали «Один день Ивана Денисовича», мыслимо ли было осуждать тех, у кого появилась надежда? И пусть низвержение Сталина означало возрождение Ленина, пусть изменения политического курса зачастую ставили своей целью просто сбить с толку противников, пусть рассказ Солженицына, насколько можно судить, лакировал действительность, а правда была в десять раз страшнее — пусть так, но не могли же мужчины и женщины перестать надеяться, перестать верить, что новые правители будут лучше старых?

И в ту пору к нему, конечно, потянулись цепкие руки. Видите, Дмитрий Дмитриевич, насколько изменилась жизнь, вас окружили почетом, вы — национальное достояние, мы выпускаем вас за рубеж как посланника Советского Союза для получения премий и ученых степеней: видите, как вас ценят? Мы полагаем, вас устраивает и дача, и персональный водитель; не желаете ли еще чего, Дмитрий Дмитриевич, выпейте еще рюмочку, можем чокаться, сколько душе угодно, автомобиль подождет. Жизнь при Первом секретаре стала неизмеримо лучше, вы согласны? И по любым меркам он вынужден был отвечать утвердительно. Жизнь *действительно* изменилась к лучшему, как изменилась бы жизнь заключенного, если б в карцер к нему бросили сокамерника, разрешили подтягиваться на решетке, чтобы глотнуть осеннего воздуха, и приставили другого вертухая, который не плюет в баланду, — по крайней мере, на глазах у зэков. Да, в этом смысле жизнь изменилась к лучшему. Вот потому-то, Дмитрий Дмитриевич, Партия хочет прижать вас к груди. Все мы помним, как вам доставалось в годы культа личности, но Партия не чужда конструктивной самокритики. Мы живем в счастливое время. От вас требуется всего лишь признать, что Партия уже не та, что прежде. Это ведь не чрезмерное требование, правда, Дмитрий Дмитриевич?

Дмитрий Дмитриевич. Много лет назад он должен был стать Ярославом Дмитриевичем. Но отец с матерью спасовали перед настырным священником. С одной стороны, можно сказать, что у себя в доме они, как положено, проявили вежливость и должное благочестие. Но с другой стороны, можно сказать иначе: что родился он — точнее, был крещен — под звездой малодушия.

Для его Третьего и Последнего Разговора с Властью был выбран Петр Николаевич Поспелов. Член Политбюро ЦК, главный партийный идеолог сороковых, бывший редактор газеты «Правда», автор некой книжицы того же типа, что и труды, рекомендованные в свое время товарищем Трошиным. Внешность не одиозная, из шести его орденов Ленина красуется на груди только один. Перед тем как стать горячим приверженцем Хрущева, был горячим приверженцем Сталина. Мог бегло объяснить, как победа Сталина над Троцким помогла сохранить чистоту марксизма-ленинизма в Советском Союзе. Нынче Сталин не в чести, зато Ленин опять в чести. Пара новых поворотов штурвала — и Никита Кукурузник тоже выйдет из доверия; еще немного — и, наверное, воскреснут Сталин и сталинизм. А такие вот Поспеловы, равно как и Хренниковы, почуют любой сдвиг, пока им еще и не пахнет, будут припадать ухом к земле, высматривать удобный момент и облизывать палец, чтобы понять, откуда ветер дует.

Но это все не важно. Важно другое: что именно Поспелов стал его собеседником в самом последнем и губительном Разговоре с Властью.

— У меня для вас отличная новость, — объявил Петр Николаевич, отводя его в сторону на каком-то приеме (приглашения сыпались отовсюду). — Никита Сергеевич лично выступил с инициативой поставить вас во главе Союза композиторов РСФСР.

— Это слишком большая честь, — не задумываясь, выпалил он.

— Но, учитывая, что предложение исходит от Первого секретаря, отказываться ни в коем случае нельзя.

— Я не достоин такой чести.

— Ну, знаете, не вам судить о собственных достоинствах. Никите Сергеевичу виднее.

— Я не дорос.

— Да что вы, что вы, Дмитрий Дмитриевич, вы же по всему миру принимаете высокие награды и звания, и мы этим горды. У меня в голове не укладывается, как можно отказаться от высокой чести, которую предлагают вам на Родине.

— К сожалению, у меня совершенно нет времени. Мое дело — писать музыку, а не руководить.

— Много времени новая должность не отнимет. Мы об этом позаботимся.

— Я ведь композитор; какой из меня председатель?

— Вы — крупнейший из ныне живущих отечественных композиторов. Это признается всеми. Ваши тяжелые времена остались в прошлом. Вот почему это так важно.

— Не понимаю.

— Дмитрий Дмитриевич, мы знаем, что вас не миновали определенные последствия культа личности. Хотя, должен заметить, ваше положение было прочнее, чем у многих.

— Уверяю вас, я этого не ощущал.

— Вот потому-то для вас очень важно возглавить Союз композиторов. Чтобы продемонстрировать конец культа личности. Скажу прямо, Дмитрий Дмитриевич: чтобы те перемены, которые произошли под руководством Первого секретаря, стали необратимыми, их следует подкрепить публичными заявлениями и назначениями вроде вашего.

— Я всегда с готовностью подпишу какое-нибудь письмо.

— Вы прекрасно понимаете: речь не об этом.

— Я не достоин, — повторил он и добавил: — Ведь я червяк в сравненьи с ним — в сравненьи с Первым секретарем.

Сказал — и усомнился, что до Поспелова дойдет эта аллюзия; и в самом деле, тот лишь недоверчиво хмыкнул.

— Уверен, мы сможем перебороть вашу природную скромность, Дмитрий Дмитриевич. Но это отдельный разговор.

По утрам он, как молитву, повторяет стихотворение Евтушенко «Карьера» — про то, как складываются судьбы под сенью Власти:

Ученый, сверстник Галилея,
был Галилея не глупее.
Он знал, что вертится Земля,
но у него была семья.

Это стихи о совести и стойкости:

Но как показывает время:
кто неразумен, тот умней.

Верно ли это? Он так и не решил. В конце стихотворения амбиции противопоставляются честности в искусстве:

Я делаю себе карьеру
Тем, что не делаю ее.

Эти строки и примиряют, и настораживают. Невзирая на все свои тревоги, страхи и ленинградскую интеллигентность, в глубине души он всегда оставался неразумным упрямцем, который стремится отстаивать в музыке правду, какой она ему видится.

Но «Карьера» прежде всего говорит о совести; а совести есть за что его упрекнуть. Хотя какой прок от совести, если она не будет выискивать (подобно языку, проверяющему, нет ли в зубах дырок) слабину, двуличие, трусость, самообман? Но если к стоматологу он по своей мнительности ходит раз в два месяца, чтобы не запускать зубы, то совесть свою проверяет ежедневно, чтобы не запускать душу. Слишком много за ним тянется такого, что можно поставить себе в вину: недоговаривал, недотягивал, шел на компромиссы, платил дань кесарю. Временами он видится себе как Галилей и одновременно как тот ученый, сверстник Галилея, что вынужден был кормить семью. Смелости он выказывает ровно столько, сколько позволяет его натура, но совесть тут как тут: выговаривает за непростительное малодушие.

В течение последующих недель он надеялся и, как мог, старался избежать встречи с Поспеловым, но опять же однажды вечером Петр Николаевич пробился к нему сквозь болтовню, ханжество и пенящиеся бокалы.

— Итак, Дмитрий Дмитриевич, вы обдумали наш с вами вопрос?

— Ох, я совершенно недостоин, говорю же.

— Я передал наверх ваше согласие всерьез рассмотреть вопрос о руководстве Союзом композиторов РСФСР и сказал Никите Сергеевичу, что вас удерживает единственно ваша скромность.

Такое передергивание наводило на определенные мысли, но Поспелов зачастил:

— Давайте, давайте, Дмитрий Дмитриевич, настал момент, когда скромность переходит в какое-то самолюбование. Мы рассчитываем на ваше согласие, и вы нам его дадите. Мы с вами оба знаем, что руководство Союзом композиторов — это второй вопрос. Я хорошо понимаю ваши колебания. Но мы единодушно полагаем, что время пришло.

— Время для чего?

— Ну как же: вы ведь не сможете руководить творческим союзом, будучи беспартийным. Это противоречит всем нормам Конституции. Наверняка вы об этом догадывались. Потому и колебались. Но я вас уверяю: никаких препятствий не возникнет. По сути, вам только заявление подписать. Все остальное мы берем на себя.

Он вдруг почувствовал, как из его тела выпустили дух. Что ж такое делается, почему он этого не предусмотрел? В годы террора он мог гордиться, что, по крайней мере, никогда не старался облегчить себе жизнь, став членом партии. А теперь, под занавес, когда рассеялся великий ужас, они пришли забрать его душу.

Даже пытаясь сосредоточиться, он все равно отвечал как-то сбивчиво:

— Петр Николаевич, я совершенно не достоин, не подхожу я для председательства. У меня нет политической жилки. Признаюсь вам, я даже не сумел освоить главные принципы марксизма-ленинизма. Хотя ко мне одно время даже индивидуальный наставник был прикреплен. Товарищ Трошин. Я добросовестно прочел все предписанные источники, включая, как сейчас помню, и вашу работу, но мне с таким скрипом давалась эта наука, что теперь, к сожалению, придется отдыхать и восстанавливать силы.

— Дмитрий Дмитриевич, нам хорошо известна история про этот неудачный и — уж простите — ненужный политический инструктаж. Это так унизительно и вместе с тем очень характерно для эпохи культа личности. Тем более разумно будет показать, что времена изменились и от членов партии больше не требуется глубоких общественно-политических знаний. Нынче, под руководством Никиты Сергеевича, нам всем дышится легко и свободно. Первый секретарь еще молод, и его планы рассчитаны на долгие годы вперед. Для нас важно, чтобы вы открыто выразили свое одобрение нового курса, который дает нам свободу дышать полной грудью.

В данный момент ему определенно что-то не позволяло дышать полной грудью; пришлось занять другую линию обороны.

— Дело в том, Петр Николаевич, что я придерживаюсь определенных религиозных убеждений, которые, как я понимаю, несовместимы с членством в партии.

— Убеждения, которые вы много лет разумно держали при себе, у вас, конечно, имеются. Но поскольку вы не заявляли о них публично, нам даже не придется предпринимать никаких усилий. Мы не станем приставлять к вам инструктора в связи с этим... как бы поточнее выразиться... с этим пережитком прошлого.

— Сергей Сергеевич Прокофьев принадлежал к секте христианской науки. — Он напустил на себя задумчивый вид. И, понимая, что уходит в сторону от существа дела, спросил: — Не хотите ли вы сказать, что планируете вновь открыть храмы?

— Нет, я этого не утверждаю, Дмитрий Дмитриевич. Но, разумеется, когда в воздухе повеяло свежестью, кто знает, какие вопросы вскоре могут быть открыты для обсуждения. Для обсуждения с нашим новым, выдающимся членом партии.

— И все же, — ответил он, поворачивая от гипотетического к более конкретному, — все же... поправьте меня, если я ошибаюсь, но ведь нигде не сказано, что председатель союза обязан быть партийным.

— Иное невозможно представить.

— Тем не менее Константин Федин и Леонид Соболев, будучи беспартийными, занимают руководящие посты в Союзе писателей.

— Да, верно. Только это не довод. Многие ли знают Федина и Соболева в сравнении с теми, кто знает Шостаковича? Вы — самый знаменитый, самый выдающийся отечественный композитор. Мыслимое ли дело, чтобы вы стали председателем союза, не будучи членом партии? Тем более когда у Никиты Сергеевича такие планы в области развития музыки в СССР.

Почувствовав лазейку, он переспросил:

— Какие планы? Я ничего не читал о его планах в области музыки.

— Естественно. Вы сами поможете их сформулировать: вас пригласят для участия в работе соответствующей комиссии.

— Я не могу вступать в партию, которая запрещает мои произведения.

— Какие из ваших произведений запрещены, Дмитрий Дмитриевич? Простите, если я что-то...

— «Леди Макбет». Сначала ее зарубили при культе личности, а затем — после разоблачения культа личности.

— Да уж, — сочувственно протянул Поспелов, — ясное дело, это может показаться препятствием. Но позвольте, я скажу вам как прагматик прагматику. Самый верный, самый реальный способ вернуть на сцену вашу оперу — это вступить в партию. Так в мире повелось: долг платежом красен.

От изворотливости этого деятеля он вспылил. А посему привел свой последний довод:

— В таком случае позвольте, я тоже отвечу вам как прагматик прагматику. Я всегда говорил и всегда придерживался этого основополагающего для себя принципа: я не буду вступать в партию, которая творит насилие.

Поспелов и бровью не повел.

— Так ведь я вам об этом и толкую, Дмитрий Дмитриевич. У нас... в партии... произошли перемены. Сегодня никто не творит насилия. Вы можете назвать хотя бы одного человека, расстрелянного при Никите Сергеевиче? Хотя бы одного-единственного? Наоборот, пострадавшие от культа личности возвращаются к нормальной жизни. Имена тех, кто подвергся чисткам, в настоящее время реабилитируются. Необходимо продолжать эту работу. Реакционный лагерь не дремлет, его нельзя недооценивать. Именно поэтому мы и просим, чтобы вы нам помогли — примкнув к прогрессивным силам.

Эта встреча его вымотала. Вслед за тем состоялась еще одна. И еще. На каждом мероприятии непременно оказывался Поспелов, который спешил к нему с бокалом в руке. Этот человек уже являлся ему во сне, разговаривал спокойно, разумно — и все же доводил до белого каления. А ведь ему хотелось такой малости: чтобы его оставили в покое. Он открылся Гликману, но домашним не сказал ни слова. Запил, не мог работать, нервы не выдерживали. Человеческому терпению в этой жизни есть предел.

1936; 1948; 1960. До него добирались каждые двенадцать лет. И каждый раз, естественно, это был високосный год.

«Не в ладах с самим собой». Это просто фраза, но вполне точная. Под давлением Власти «я» идет трещинами, а потом раскалывается. С виду трус, а в душе герой. Или наоборот. Нет, обычно с виду трус — и в душе такой же. Впрочем, это слишком примитивно — считать, что человек разрублен надвое, словно топором. Точнее будет так: человек расколот на сотню обломков и тщстно пытается вспомнить, каким образом из них... из него... когда-то складывалось единое целое.

По словам его друга Славы Ростроповича, чем ярче художественный талант, тем тверже он противостоит гонениям. Может, в отношении других это и верно — к примеру, в отношении того же Славы, который в любых обстоятельствах сохраняет оптимистический настрой. И который, ко всему прочему, моложе, а потому не знает, каково было жить несколько десятилетий назад. И каково это, когда переламывают твой дух, твой стержень. А когда стержень сломан, его не заменишь, как скрипичную струну. Из глубин души нечто уходит, и остается... что?.. своего рода тактическая хитрость, способность изображать художника не от мира сего, решимость любой ценой защищать свою музыку и своих близких. Что ж, подумалось ему в таком беспросветном настроении, что даже настроением не назовешь: как видно, это и есть сегодняшняя цена.

А посему он вверил себя Поспелову, как умирающий вверяет себя священнику. Или как предатель, одурманенный водкой, вверяет себя расстрельной команде. Подумывал, конечно, о самоубийстве, когда ставил подпись на заготовленной для него бумажке, но какой прок лишать себя жизни, когда убита совесть? Речь даже не о том, что духу не хватило приобрести, спрятать и проглотить таблетки. Просто при таком раскладе у него не осталось нисколько уважения к себе, необходимого для самоубийства.

Зато осталось достаточно трусости, чтобы сбежать подобно ребенку, который при виде сторожки Юргенсена вырвался из материнских тисков. Подписав заявление в партию, он сбежал в Ленинград и затаился у сестры. Пусть душа осталась у них, так хотя бы тело им не достанется. Пусть трубят, что выдающийся композитор — простой червяк, вступивший в партию, чтобы помочь Никите Кукурузнику в разработке великолепного, хотя покамест не обнародованного плана развития советской музыки. Но о композиторской нравственной кончине можно объявить и в его отсутствие. А он пересидит у сестры, пока волна не схлынет.

Но тут потекли телеграммы. Официальное объявление будет сделано такого-то числа в Москве. Его присутствие не просто желательно, а необходимо. Ну и пускай, думал он, все равно останусь в Ленинграде, а если понадоблюсь в Москве, пусть меня свяжут и приволокут силком. Пусть весь мир увидит, как вербуют нового члена партии: выкручивают ему руки, а потом бросают в вагон, будто мешок с луком.

Наивный, до чего же наивный, как перепуганный кролик. Отправил телеграмму, что хворает и, к несчастью, не сможет прибыть на собственное заклание. Ему ответили, что в таком случае официальное объявление будет перенесено на более поздний срок. Между тем весть расползалась по всей Москве. Звонили друзья и знакомые, звонили журналисты; неизвестно, кого он страшился больше. И от судеб защиты нет. А посему вернулся он в столицу, где зачитал очередную приготовленную для него бумажку, в которой говорилось, что он подал заявление с просьбой принять его кандидатом в члены КПСС и что вопрос решен положительно. Казалось, советская власть наконец-то задумала его полюбить; никогда еще не знал он таких липких объятий.

Собираясь расписаться с Ниной Васильевной, он побоялся заранее признаться матери. Собираясь вступить в партию, побоялся заранее признаться детям. Линия трусости была единственной в его жизни прямой и честной линией.

Максим два раза в жизни видел отца плачущим: на похоронах Нины и при вступлении в партию.

А посему трусом он был, трусом и остался. А посему крутился, как угорь на сковородке. А посему остатки смелости вложил в свою музыку, а трусость полной мерой — в свою жизнь. Нет, это чересчур... благостно. Сказать: уж извините, но я, видите ли, трус и ничего не могу с этим поделать, ваше сиятельство, товарищ, Великий Вождь, старинный друг, жена, дочка, сын. Так было бы проще всего, но жизнь всегда отторгает простоту. Например, он боялся сталинской власти, а самого Сталина не боялся — ни по телефону, ни лицом к лицу. Например, умел заступаться за других, но никогда не посмел бы заступиться за себя. Правда, временами сам себе удивлялся. Значит, не совсем он, наверное, пропащий.

Впрочем, трусом быть нелегко. Быть героем куда проще, нежели трусом. Прослыть героем — задача одного мгновения: выхватить пистолет, бросить бомбу, выдернуть чеку, выстрелить сперва в тирана, потом в себя. А прослыть трусом — задача на всю жизнь. Расслабляться нельзя. Нужно предвидеть любой момент, когда придется искать оправдания, вилять, содрогаться, заново открывать для себя вкус кирзового сапога и своей жалкой падшей натуры. Малодушие требует упорства, настойчивости, постоянства характера, а отсюда в каком-то смысле недалеко до храбрости. Мысленно улыбнувшись, он в очередной раз закурил. Радость иронии пока что ему не изменила.

Дмитрий Дмитриевич Шостакович стал членом Коммунистической партии Советского Союза. Этого не может быть, потому что этого не может быть никогда, как сказал градоначальник при виде жирафы. Ан нет: может быть и бывает.

Он всегда любил футбол, всю жизнь. Долго вынашивал мысль написать футбольный гимн. Получил удостоверение арбитра. Заносил в особую тетрадь результаты всех игр сезона. В молодые годы болел за «Динамо» и однажды полетел на матч за тысячи верст — в Тбилиси. В этом вся соль: оказаться на стадионе, в окружении безумной ревущей толпы. Теперь люди смотрят футбол по телевидению. Для него это — как пить минералку вместо экспортной «Столичной».

Футбол — чистый вид спорта, вот за что ему полюбилась эта игра. Сформированный из честных стремлений и красивых моментов отдельный мир, где правота или неправота определяется судейским свистком. Территория, традиционно далекая от Власти, от идеологии, от суконного языка, от разрушения человеческой души. С одной лишь оговоркой: постепенно, год за годом он понимал, что все это — его фантазия, сентиментальная идеализация спортивной игры. Футбол, как и все остальное, подминала под себя Власть. Иными словами: если советский строй — самый справедливый и прогрессивный за всю историю человечества, то и советский футбол призван отражать такое положение дел. И если даже не всегда способен быть лучшим, то, по крайней мере, должен опережать футбол тех стран, которые вероломно сошли с истинного пути марксизма-ленинизма.

Он вспомнил Олимпиаду тысяча девятьсот пятьдесят второго года в Хельсинки, когда Советский Союз играл против Югославии, вотчины ревизионистско-гестаповской клики Тито. Ко всеобщему изумлению и отчаянию, югославы победили со счетом три—один. Когда в Комарово рано утром по радио сообщили исход матча, все думали, что он будет убит таким результатом. А он помчался на дачу к Гликману, и они распили на двоих бутылку лучшего коньяка.

Этот матч скрывал в себе нечто большее, чем простой счет: он явил миру пример грязи, которая при тирании замарала все. Башашкин и Бобров: обоим под тридцать, оба — рыцари своей команды. Анатолий Башашкин — капитан, центральный защитник; Всеволод Бобров — стремительный форвард, на счету которого было пять голов в первых трех матчах. В проигранном матче один гол — это правда — югославы забили в результате оплошности Башашкина. И Бобров стал орать ему прямо на поле, а затем после игры: «Ти́товский прихвостень!»

Болельщики тогда зааплодировали: возможно, ситуация и впрямь могла запомниться как смехотворно-дурацкая, если бы это оскорбление не повлекло за собой определенных последствий. И если бы Бобров не был другом Василия Сталина. Ти́товский прихвостень против записного патриота Боброва. Мерзкая картина. Приличного человека Башашкина погнали из капитанов, а Боброва сделали всенародным героем спорта.

Вопрос ставится следующим образом: как выглядит в глазах молодых композиторов и пианистов — идеалистически настроенных, незапятнанных, оптимистичных — Дмитрий Дмитриевич Шостакович, подавший заявление и принятый в партию? Как хрущевский прихвостень?

Водитель посигналил встречной машине, которая, похоже, вильнула в их сторону. Раздался ответный гудок. Никакого особого смысла эти два звука не несли — просто пара механических шумов. Но композиторский слух находит смысл почти в каждом сочетании и сотрудничестве звуков. Его Вторая симфония включала четыре фа-бемольных заводских гудка.

Ему нравятся часы с боем. У него их несколько; интересно представлять себе дом, где все часы бьют одновременно. Где каждый час возникает золотое соединение звуков — домашний, комнатный вариант того, что возникало в больших и малых городах Древней Руси, в которых все церковные колокола звонили вместе. Если, конечно, предположить, что дело обстояло именно так. Это же Россия: вполне возможно, что половина колоколов запаздывала, а другая половина спешила.

В его московской квартире двое часов, бьющих синхронно. И это не случайность. За пару минут до наступления каждого часа он включал радио. Галя сидела в столовой, открыв дверцу часов, и одним пальцем придерживала маятник. А в кабинете, где у него стоят настольные часы, то же самое проделывал он сам. По сигналу точного времени они с дочерью отпускали маятники, чтобы часы били в унисон. Такая упорядоченность изо дня в день доставляет ему удовольствие.

Когда-то довелось ему побывать в Англии, в Кембридже, по приглашению тогдашнего британского посла в Москве. В посольском доме тоже было двое часов с боем, заявлявших о себе с промежутком в пару минут. Это действовало на нервы. Он предложил синхронизировать их по той же системе, которую разработали они с Галей. Посол вежливо поблагодарил, но сказал, что предпочитает раздельный бой: если с первого раза не расслышал, то, по крайней мере, со второго раза уяснишь, который час — три или четыре. Да, конечно, такое можно понять, но все равно раздражает. Он любит, чтобы все работало согласованно. Такова уж его глубинная сущность.

Еще он любит канделябры. С настоящими свечами, а не с электрическими лампочками; любит и подсвечники на один мерцающий огонек. Ему нравится их подготавливать: заранее строго вертикально установить свечи, поднести к фитилям спичку, а потом задуть, чтобы лучше разгорались, когда настанет торжественный момент. В свой день рождения он зажигает по одной свече за каждый год жизни. Друзья знают, какой подарок его обрадует. Хачатурян когда-то презентовал ему пару великолепных канделябров: бронзовых, с хрустальными подвесками.

Так вот: он увлекается часами с боем и подсвечниками. После войны обзавелся автомобилем. Есть личный водитель, есть дача. В доме всю жизнь обслуга. Член партии, Герой Соцтруда. Живет на седьмом этаже композиторского дома по улице Неждановой. Как депутат Верховного Совета РСФСР, может черкнуть записку директору ближайшего кинотеатра — и Максиму тут же предоставят два билета бесплатно. Пользуется закрытыми распределителями для ответственных работников. Участвовал в работе комиссии по организации юбилейных торжеств к семидесятилетию Сталина. Материалы в поддержку решений КПСС по вопросам культурной политики нередко подписываются его именем. В газетах появляются его фотографии в кругу видных деятелей партии и правительства. Он и по сей день — самый выдающийся российский композитор.

Кто знает его лично, те знают. У кого есть уши, те слышат его музыку. Но как выглядит он в глазах тех, кто с ним незнаком, — в глазах молодежи, только еще постигающей устройство мира? И что подумал бы о нем, теперешнем, он сам, юный, стоя у обочины и провожая взглядом персональный автомобиль, в котором маячит протокольная физиономия? Наверно, в этом заключается одна из уготованных человеку трагедий: наша судьба — с годами превращаться в тех, кого мы больше всего презирали в молодости.

Как положено, он посещал партсобрания. Во время нескончаемых речей думал о своем и хлопал в ладоши, когда вокруг начинались овации. Один знакомый как-то спросил, почему он аплодировал Хренникову, который в своей речи обрушился на него с яростной критикой. Знакомый усмотрел в этом иронию, а возможно, и самобичевание. Но на самом деле он просто не слушал.

Те, кто не знал его лично и с музыкой его был знаком лишь приблизительно, могли бы отметить, что Власть выполнила уговор, который от ее имени заключил с ним Поспелов. Дмитрий Дмитриевич Шостакович был допущен под священные своды Партии, а через два года с небольшим его опера — под новым названием «Катерина Измайлова» — получила одобрение и вернулась на сцену в Москве. Газета «Правда» благоговейно отметила, что это произведение подвергалось необоснованной критике в эпоху культа личности.

Были осуществлены и другие постановки, как в Советском Союзе, так и за рубежом. И всякий раз он обращался мыслями к тем операм, которые мог бы написать, если бы в свое время эту часть его творчества не зарубили. Можно ведь было взять за основу не только «Нос», но и всего Гоголя. Или хотя бы «Портрет», который давно увлекал его и завораживал. Это история молодого талантливого художника Черткова, который продает душу дьяволу за тысячу червонцев, — фаустовская сделка приносит успех и славу. Карьера этого художника противопоставлена исканиям другого начинающего живописца, который давным-давно исчез из поля зрения — уехал работать и учиться в Италию: тот заплатил своей безвестностью за цельность души. Он прислал на выставку одно-единственное полотно, коим посрамил все творчество Черткова, и Чартков это понял. У этой истории почти библейская мораль: «Имеющий талант да пребудет чище душой, нежели прочие».

В повести «Портрет» недвусмысленно обозначен выбор между цельностью и разложением. Цельность — это как девственность: единожды потеряв, уже не воротишь. Но в реальности, особенно в ее крайней форме, которая выпала на его долю, не все так просто. Здесь всегда есть третья возможность: цельность *и* разложение. Можно оставаться и Чартковым, и его нравственным антиподом. Точно так же можно оставаться и Галилеем, и его сверстником-ученым.

Во времена Николая I некий гусар похитил генеральскую дочь. К несчастью (а может, и к счастью), они еще и обвенчались. Генерал пожаловался государю. Николай поступил следующим образом: во-первых, своей властью отменил брак, а во-вторых, выдал официальную бумагу о восстановлении непорочности. На родине слонов ничего невозможного нет. И все же в его случае с трудом верилось, что какой-нибудь правитель (или счастливый случай) сумеет восстановить утраченную им непорочность.

По прошествии времени трагедии становятся похожими на фарсы. Он сам не раз так говорил и всегда в это верил. Его случай — лишнее тому подтверждение. Раньше ему думалось, что его судьба, как и судьба страны, — это трагедия, герой которой способен решить свою невыносимую дилемму лишь путем самоубийства. Да только на самоубийство он не пошел. Нет, он определенно не шекспировский герой. И, прожив столько лет, даже отдаленно не замечал, чтобы его жизнь превратилась в фарс.

К слову: если оглянуться назад, не обнаружится ли некоторая предвзятость в его оценке Шекспира? Великого британца он прежде считал сентиментальным, потому что на страницах его пьес тираны мучились чувством вины, ночными кошмарами и угрызениями совести. Нынче, зная жизнь не понаслышке, оглушенный шумом времени, он склонялся к тому, что Шекспир был прав или, во всяком случае, близок к истине, но лишь для своей эпохи. Когда мир еще не вышел из пеленок, когда правили им магия и религия, те монстры, очевидно, имели совесть. Это кануло в прошлое. Мир прошел долгий путь, добавил себе учености, практицизма, избавился от множества предрассудков. Тираны тоже не стояли на месте. Вероятно, совесть утратила свою эволюционную функцию и потому выродилась. Копни поглубже, отогнув слой за слоем шкуры тирана, — и убедишься, что фактура не меняется, что гранитные глыбы стали еще прочнее, а пещеру, где обитала совесть, не найти.

Через два года после вступления в партию он женился вновь — на Ирине Антоновне. Дочь репрессированного, выросла она в специализированном детдоме; работала в музыкальном издательстве. Недостатки ее сводились к следующему: двадцать семь лет (всего на два года старше Гали); успела побывать замужем. Естественно, третий брак свершился так же импульсивно и тайно, как оба предыдущих. Но ему было непривычно видеть рядом с собой жену, любящую и музыку, и домашний уют, столь же практичную и деятельную, сколь и милую. Он растворился в ней застенчиво и нежно.

Когда-то ему пообещали, что оставят его в покое. Но не отставали. Власть продолжала с ним беседовать, но разговора не выходило: общение получалось однобоким, судорожным: обхаживание, лесть, брюзжание. Ночной звонок в дверь предвещал теперь не приход НКВД, КГБ или МВД, а появление курьера, безотлагательно доставившего на подпись Дмитрию Дмитриевичу гранки статьи, написанной им для утреннего номера «Правды». Естественно, к таким статьям он не имел никакого отношения: от него требовалось только подмахнуть. Даже не пробежав глазами текст, он небрежно ставил на листе свои инициалы. Так же обстояло дело и с теоретическими статьями, которые печатались под его именем в журнале «Советская музыка».

«Как же это понимать, Дмитрий Дмитриевич: ведь не за горами публикация вашего собрания сочинений?» — «Так и понимайте: незачем их читать». — «Но рядовые граждане будут сбиты с толку». — «Учитывая, насколько рядовые граждане уже сбиты с толку, можно им сказать, что музыковедческая статья, написанная композитором, а не музыковедом, вообще не имеет веса. Будь у меня возможность прочесть материал заранее и внести правку, это было бы, с моей точки зрения, еще предосудительнее».

Но бывало, конечно, и хуже, намного хуже. Он подписал грязное открытое письмо против Солженицына, хотя ценил и постоянно перечитывал его прозу. Через пару лет — еще одно грязное письмо с осуждением Сахарова. Его подпись стояла рядом с именами Хачатуряна, Кабалевского и, естественно, Хренникова. В глубине души он надеялся, что никто не поверит — не сможет поверить, — что он и в самом деле согласен с содержанием письма. Но люди верили. Друзья и коллеги-музыканты не подавали ему руки, отворачивались. Ирония имеет свои пределы: невозможно подписывать такое письмо, скрестив пальцы или держа фигу в кармане, и рассчитывать, что другие поймут твою уловку. А посему он предал еще и Чехова, который писал все, кроме доносов. Предал и себя, и доброе отношение, которое еще сохраняли к нему окружающие. Зажился он на этом свете.

Помимо всего прочего, он узнал, как разрушается человеческая душа. Конечно, жизнь прожить — не поле перейти. Душа разрушается тремя способами: действиями других, собственными действиями, совершаемыми по чужой воле во вред себе, и собственными действиями, добровольно совершаемыми во вред себе. Каждый из этих способов надежен; а уж когда задействованы все три, в исходе можно не сомневаться.

Его жизнь делится несчастливыми високосными годами на двенадцатилетние циклы. 1936, 1948, 1960... Через двенадцать лет грянет семьдесят второй — естественно, високосный, до которого он с уверенностью рассчитывает не дожить. Можно не сомневаться: он сделал для этого все, от него зависящее. Здоровье, от рождения слабое, ухудшилось до такой степени, что он уже не может подняться по лестнице. Пить и курить нельзя — да одни эти запреты способны отправить человека на тот свет. Старается по мере сил и вегетарианка Власть: бросает его из конца в конец страны — то на премьеру, то за какой-нибудь наградой. Истекший год закончился для него в больнице: замучили камни в почках, да еще облучение делали — нашли новообразование в легком. Держался он терпеливо; неприятности доставляла не столько хворь, сколько реакция окружающих. Сочувствие досаждало еще больше, чем хвала.

Впрочем, одного он, вероятно, не учел: что несчастье, уготованное ему на 1972 год, окажется не смертью, а продолжением жизни. Сколько ни отбивайся, жизнь еще имеет на него виды. Жизнь оказалась той самой кошкой, которая тащит за хвост попугая, да так, что он пересчитывает головой все ступеньки.

Прежде чем закончатся нынешние времена... если вообще закончатся, пройдет двести миллиардов лет. Карло-Марло и компания обличали внутренние противоречия капиталистической системы, которые безусловно, по логике вещей, должны ее сокрушить. Но капитализм пока держится. Каждый, имеющий глаза, видит внутренние противоречия коммунистической системы, но кому ведомо, что способно ее сокрушить? Он знает одно: когда... если... нынешние времена пройдут, людям захочется упрощенной версии того, что уже было. Что ж, имеют право.

Один слыхал, другой на ус мотал, а третий выпивал. Вряд ли он бросит пить, хотя врачи настаивают; определенно не перестанет слушать и, что самое паршивое, — будет помнить. Вот бы можно было блокировать память по своему желанию, поставив рычаг в нейтральное положение. Так поступают автомобилисты для экономии бензина: либо на горке, либо по достижении максимальной скорости, чтобы двигаться по инерции. Но с памятью такого не проходит. Мозг его упорно не желает изгонять прошлые неудачи, унижения, самобичевание. Как бы славно было хранить в памяти только приятное, по своему выбору: Таню, Ниту, родителей, верных и надежных друзей; как играет с поросенком Галя, как Максим изображает болгарского полицейского; каждый красивый гол, и смех, и радость, и любовь к молодой жене. Он все это помнит, но сверху наваливается, налипает то, что хочется выбросить из головы. И эта примесь, эта порочность памяти его измучила.

В последние годы его тики и ужимки стали еще заметнее. Рядом с Ириной он пока может сидеть тихо-спокойно, а на трибуне, в роли официального лица, даже перед сочувственно настроенной аудиторией еле-еле сдерживается. То голову чешет, то подбородок трет, то вонзает себе в щеку мизинец и указательный палец; дергается, ерзает, будто в ожидании ареста и этапирования. Когда слушает собственную музыку, нет-нет да и зажимает рот ладонями, точно говоря: не верьте тому, что вылетает у меня изо рта; верьте лишь тому, что влетает вам в уши. А то еще принимается себя щипать, словно желая проверить, не снится ли ему все это, или унять зуд от внезапных комариных укусов.

Мыслями он часто возвращается к отцу, в честь которого ему безропотно дали имя Дмитрий. Человек мягкий, с чувством юмора, он каждое утро просыпался с улыбкой: вот это называется оптимистичный Шостакович. В сыновней памяти Дмитрий Болеславович всегда возникает с игровыми принадлежностями в руке и с романсом на устах: сквозь пенсне разглядывает колоду карт или проволочную головоломку; покуривает трубку, наблюдает, как растут его дети. Прожил ровно столько, чтобы не разочаровать других и самому не разочароваться в жизни.

«Отцвели уж давно хризантемы в саду...» — как там дальше?.. А, вот: «Но любовь все живет в моем сердце больном». Сын улыбается, хотя совсем не по-отцовски. У него сердце болит по-другому: два инфаркта перенес. И третий не за горами — главный симптом известен: водка пьется безо всякого удовольствия.

С Таней они познакомились через год после смерти отца: так ведь, да? Татьяна Гливенко, его первая любовь, говорила, что полюбила Митю за чистоту. Они продолжали общаться, и много лет спустя Таня сказала, что жизнь их сложилась бы совсем иначе, доведись им встретиться в том санатории на пару недель раньше. В таком случае к моменту расставания их любовь смогла бы окрепнуть настолько, чтобы не дрогнуть ни перед чем. Такой ход событий готовила для них судьба, но они ее проворонили, упустили по прихоти листов календаря. Возможно, и так. Он знает: людям свойственно делать мелодраму из своей юности, а также без конца перебирать в памяти варианты и решения, которые в ту далекую пору были приняты бездумно. Знает он и то, что Судьба — это всего лишь фраза «А посему...».

Тем не менее они были друг у друга первыми; он по-прежнему вспоминал тот отдых в Анапе как идиллию. Даже если идиллия становится таковой лишь после своего завершения. На даче в Жуковке теперь установлен лифт, чтобы он мог подниматься к себе в комнату прямо из прихожей. Но живут они не где-нибудь, а в Советском Союзе, где, по существующему положению, лифтом, даже в частном доме, должен управлять профессиональный лифтер. И как поступила Ирина Антоновна, окружившая его нежной заботой? Окончила соответствующие курсы, сдала выпускные экзамены и получила удостоверение. Кто бы мог подумать, что его судьба — быть мужем специально обученной лифтерши?

Нет, он не сравнивает Таню с Ириной, первую с последней; речь не об этом. Ирине он предан. Она старается изо всех сил, чтобы сделать его существование сносным и даже приятным. Другое дело, что жизненные возможности его теперь ничтожно малы. А на Кавказе были безграничны. Но против времени ты бессилен.

Перед тем как приехали в Анапу они с Таней, в харьковском городском парке состоялось исполнение его Первой симфонии. По всем меркам — совершенно провальное. Струнные звучали хило, рояль вообще был не слышен, литавры заглушали все остальное, первый фагот не выдерживал никакой критики, а дирижер и в ус не дул; с самого начала оркестру подвывали бродячие собаки Харькова в полном составе, и слушатели катались со смеху. Тем не менее концерт представили как триумфальный. Неискушенная публика устроила продолжительную овацию; самодовольный дирижер принимал поздравления; оркестранты напустили на себя вид профессионалов, а композитора много раз вызывали на сцену, где ему оставалось только кланяться и благодарить. На самом деле он кипел от досады; но правда и то, что по молодости лет еще сохранял способность ценить иронию положения.

— Болгарский полицейский завязывает шнурки! — объявлял Максим отцовским друзьям и знакомым.

Сын всегда любил розыгрыши и анекдоты, рогатки и воздушные ружья; с годами отшлифовал свою комическую сценку до совершенства. Он выходил к гостям с развязанными шнурками, неся с собой стул, который хмуро устанавливал посреди комнаты и неспешно приноравливался. С напыщенным видом Максим брался обеими руками за правую ногу и водружал ее на стул. Обводил глазами присутствующих, удовлетворенный этой небольшой победой. А затем, неуклюжим маневром, цель которого не сразу становилась очевидной зрителям, наклонялся, будто забыв про стоявшую на стуле ногу, и завязывал шнурок на другом ботинке. Чрезвычайно довольный результатом, менял ноги: левую водружал на стул, чтобы, изогнувшись, зашнуровать правый ботинок. Покончив с этой задачей, он под смех публики распрямлялся, вытягивался почти по стойке «смирно», изучал успешно зашнурованные ботинки, удовлетворенно кивал и с важным видом относил стул на место.

Гости от души веселились, но, как он подозревал, не потому, что Максим был прирожденным лицедеем, и не потому, что все обожали болгарский юмор, а по другой, не столь явной причине: в этой сценке содержался откровенный намек. Немыслимые маневры, направленные на решение простейшей задачки; глупость; самодовольство; непроницаемость для стороннего мнения; повторение одних и тех же ошибок. Разве все это, помноженное на миллионы и миллионы судеб, не отражало жизнь под солнцем сталинской конституции — необозримую вереницу малых фарсов, вырастающих в огромную трагедию?

Или взять другую картину, из его собственного детства: их дача в Ириновке, в усадьбе на торфяниках. Дом — то ли из какой-то мечты, то ли из ночного кошмара. Просторные комнаты — и крошечные оконца, которые огорошивали взрослых и нагоняли ужас на детей. Теперь до него дошло: ведь это образ той страны, в которой он проживает свою долгую жизнь. Строители Советской России, разрабатывая планы на будущее, проявили вдумчивость, тщание и благонамеренность, но оплошали в главном: перепутали метры с сантиметрами, а кое-где наоборот. В результате Здание Коммунизма вышло непропорциональным, лишенным человеческого измерения. Оно приносило тебе мечты, оно приносило тебе ночные кошмары, но в конечном счете внушало страх всем — как детям, так и взрослым.

И чиновники, и музыковеды, изучавшие его Пятую симфонию, неукоснительно изрекали один и тот же оборот речи, который больше подошел бы для Революции, равно как и для той России, которая из нее выросла: оптимистическая трагедия.

Как не может он отогнать мысли о прошлом, так не может и пресечь пустые, роящиеся в голове дознания. Последние вопросы, что приходят на ум под конец жизни, остаются без ответов, такова их природа. Они воют в мозгу, как фа-диезные заводские гудки.

Итак: талант лежит под тобой, как торфяник. Сколько ты срезал? Сколько еще осталось? Немного найдется художников, которые срезают самые благодатные пласты — или хотя бы способны их распознать. В его случае тридцать с гаком лет назад впереди возникло заграждение из колючей проволоки с предупредительной надписью: ПРОХОД ВОСПРЕЩЕН. Кто знает, что лежало... что могло лежать за колючей проволокой?

Вопрос по существу: какое количество плохой музыки дозволено хорошему композитору? В свое время, как ему казалось, он знал ответ; теперь не имеет представления. Им написана уйма плохой музыки для уймы очень плохих фильмов. Можно, впрочем, сказать, что ущербность этой музыки сделала фильмы еще хуже, оказав тем самым услугу правде и искусству. Или это голая софистика?

Финальный вопль у него в голове звучит по его жизни, равно как и по его искусству. И сводится он к следующему: в какой точке пессимизм становится отчаянием? Вопрос этот сквозит в его последних камерных произведениях. Он проинструктировал альтиста Федора Дружинина, как надо играть первую часть Пятнадцатого квартета: «Пусть будет скучно, пусть мухи дохнут на лету, пусть публика, махнув рукой, выходит из зала».

Всю жизнь он полагался на иронию. Считал, что возникает она, по обыкновению, там, где образовался разрыв между представлениями, предположениями или надеждами относительно нашей жизни и действительным ее ходом. Таким образом, ирония превращается для человека в средство защиты своего существа и своей души; изо дня в день она дает тебе возможность дышать. Например, пишешь в письме, что такой-то и такой-то — «прекрасной души человек», и адресат заключает, что ты имеешь в виду ровно противоположное. Ирония позволяет передразнивать язык Власти, зачитывать бессмысленные речи, написанные для тебя чужой рукой, глубоко сожалеть об отсутствии сталинского портрета над твоим столом, когда за неплотно прикрытой дверью жена еле удерживается от крамольного хохота. Ты приветствуешь назначение нового министра культуры, заявляя, что эта весть будет горячо встречена передовой музыкальной общественностью, которая всегда возлагала самые большие надежды на эту кандидатуру. Для своей Пятой симфонии ты сочиняешь финал, похожий на шутовскую ухмылку трупа, а потом с каменной физиономией выслушиваешь отклик Власти: «Вот видите, сразу ясно, что человек умер счастливым, уверенным в непременной победе правого дела Революции». А сам отчасти даже веришь, что, владея иронией, сумеешь остаться в живых.

Например, в год своего вступления в партию он написал Восьмой квартет. Сообщил друзьям, что сей опус посвящается «памяти автора этого квартета». Что было бы расценено высокими музыкальными инстанциями как недопустимое самолюбование и пессимизм. А посему на опубликованной партитуре стояло другое посвящение: «Жертвам фашизма и войны». Это, вне сомнения, уже было расценено как большой шаг вперед. А ведь, по сути дела, он только заменил единственное число на множественное. Впрочем, теперь уверенности в этом поубавилось. Бывает, что в иронии сквозит самодовольство, как в протестах сквозит беспечность. Деревенский малец запускает яблочным огрызком в проносящийся мимо персональный автомобиль. Пьяный нищий спускает штаны и показывает приличной публике зад. Видный советский композитор вставляет тонкую насмешку в симфонию или струнный квартет. Есть ли разница, будь то в побуждениях или последствиях?

Насколько он понял, ирония столь же уязвима, сколь и любой другой прием, для неблагоприятных стечений жизни и времени. Просыпаешься утром и не знаешь, на месте ли твой язык, и если на месте, пригодится он еще или нет, заметит ли кто-нибудь его наличие или отсутствие. Воображаешь, будто от тебя исходит ультрафиолетовое излучение, но вдруг оно останется незамеченным, поскольку находится в неведомой многим части спектра? В свой Первый концерт для виолончели он вставил намек на любимую песню Сталина — «Сулико». Но Ростропович сыграл это место походя, ничего не заметив. Уж если аллюзию не распознал даже Слава, то до кого вообще она дойдет?

У иронии есть свои границы. Например, истязатель, равно как и его жертва, не может быть ироничным. Точно так же невозможно иронически вступить в партию. В ее ряды вступают либо по зову сердца, либо с цинизмом — третьего не дано. Но сторонние наблюдатели, презирающие как первое, так и второе побуждение, могут и не заметить разницы. Окажись сейчас на обочине его молодой двойник — увидел бы на заднем сиденье персонального автомобиля какой-то поникший, сморщенный подсолнух, уже не поворачивающийся за солнцем сталинской конституции, но все равно чуткий к светочу Власти.

Если же иронией пренебрегают, она сгущается до сарказма. И какой тогда от нее толк? Сарказм — это ирония, потерявшая душу.

На даче в Жуковке у него на письменном столе под стеклом лежит большой фотопортрет, с которого неодобрительно смотрит похожий на медведя Мусоргский. Эта фотография всегда побуждала его отказываться от любой второстепенной работы. Под стеклом на письменном столе в его московской квартире лежит большой фотопортрет Стравинского, величайшего композитора нынешнего века. Эта фотография всегда побуждала его писать музыку на пределе возможностей. А на прикроватной тумбочке стоит, как всегда, открытка, привезенная из Дрездена: репродукция с картины Тициана «Динарий кесаря».

Фарисеи вознамерились уловить Иисуса в словах, спросив его, должны ли иудеи платить подати кесарю. Так и Власть в ходе истории вечно пыталась одурачить и низвергнуть тех, от кого чуяла угрозу. Сам он старался не попадаться в сети Власти, но он же не Иисус Христос, а всего лишь Дмитрий Дмитриевич Шостакович. И если ответ Иисуса фарисеям, показавшим ему монету с изображением кесаря, был удобно двусмысленным (без уточнения, что есть Божие и что есть кесарево), то к себе такую фразу не развернешь. «Воздайте искусству искусствово»? Это кредо искусства ради искусства, то бишь формализма, эгоцентрического пессимизма, ревизионизма и всех прочих «-измов», которые много лет бросали ему в лицо. А у Власти всегда один ответ: «Повторяйте хором, — твердит она, — „ИСКУССТВО ПРИНАДЛЕЖИТ НАРОДУ", В. И. ЛЕНИН. „ИСКУССТВО ПРИНАДЛЕЖИТ НАРОДУ", В. И. ЛЕНИН».

А посему жить ему осталось недолго — как видно, до следующего високосного года. Тогда один за другим умрут они все: его друзья и враги, те, кто понимает сложность жизни при тирании, и те, кто хотел бы видеть его мучеником; те, кто знал и любил его музыку, и горстка стариков, которые до сих пор насвистывают «Песню о встречном», даже не зная, кто ее автор. Все умрут — разве что Хренников останется.

В последние годы он в своих струнных квартетах все чаще использует обозначение *morendo*: «замирая», «будто умирая». Теперь и к жизни своей он применяет такое же обозначение. Впрочем, редко у кого жизнь заканчивается фортиссимо и в мажоре. А смерть редко бывает своевременной. Мусоргский, Пушкин, Лермонтов ушли до срока. Чайковский, Россини, Гоголь — запоздало. Как, наверное, и Бетховен. Конечно, это относится не только к известным писателям и композиторам, но и к простым людям: как жить за чертой своих лучших лет, за той чертой, где жизнь больше не дарит радостей, а приносит одни разочарования и дурные вести.

Итак, прожил он достаточно, чтобы ужаснуться самому себе. У творческих личностей это не редкость: тех, кто преувеличивает собственную значимость, настигает тщеславие, а остальных — разочарование. На сегодняшний день он склонен считать себя скучным, посредственным композитором. Для молодых неуверенность в себе — ерунда против стариковской неуверенности. В этом-то, очевидно, и заключается их окончательная победа над ним. Могли его убить, но оставили в живых; оставили в живых — и тем самым убили.

А что будет за смертельной чертой? Ему захотелось молча поднять тост: «Лишь бы не лучше!» Если от унизительных оков избавляет только смерть, то сейчас вряд ли можно ожидать убывания бед; он и не ожидает ничего хорошего. Достаточно посмотреть, что произошло с бедным Прокофьевым. Через пять лет после его смерти, когда по всей Москве развешивали мемориальные доски, первая жена композитора наняла адвокатов, чтобы те в судебном порядке добились признания второго брака Прокофьева недействительным. И на каком основании! На том основании, что с момента возвращения на родину в тридцать шестом году Сергей Сергеевич оставался импотентом. А значит, его второй брак не может считаться легитимным. А значит, лишь она сама, первая жена, является законной супругой и законной наследницей. Она даже разыскала врача, у которого двадцатью годами ранее наблюдался Сергей Сергеевич, и затребовала медицинскую справку, подтверждающую неоспоримый факт его полового бессилия.

А ведь история вполне жизненная. Приходят какие-то люди и начинают копаться в твоем постельном белье. Хелло, Шости, кого вы предпочитаете: блондинок или брюнеток? Выискивают любую слабину, любую грязишку. И всегда что-нибудь да находят. У сплетников и мифотворцев свое понимание формализма, которое точно определил Сергей Сергеевич Прокофьев: с первого раза непонятно, — значит, это и есть формализм, нечто безнравственное и отвратительное. А потому твою судьбу можно корежить как заблагорассудится.

В отношении музыки он не питал иллюзий, будто время само способно отделить ничтожное от великого. И не понимал, на чем основана уверенность, что достоинства музыки скорее оценят потомки, нежели те слушатели, для которых она создавалась. Слишком горьким стало его разочарование. Потомки одобрят то, что одобрят. Ему ли не знать, как взрастает и рушится композиторская слава, как одних предают несправедливому забвению, а из других непостижимым образом ваяют бессмертных. На будущее он возлагал довольно скромные надежды: чтобы романс «Отцвели хризантемы», причем в любом исполнении, даже через хриплый микрофон в какой-нибудь столовке, по-прежнему трогал людей до слез, а через пару кварталов чтобы публика с замиранием сердца слушала какой-нибудь из его струнных квартетов и чтобы в один прекрасный и не столь отдаленный день эти две аудитории соединились.

Своим домашним он велел не хлопотать насчет его «бессмертия». Музыка должна исполняться благодаря своим достоинствам, а не памятным мероприятиям. Его порог нынче обивало множество просителей, и среди них — вдова одного именитого композитора. «Муж умер, и никого у меня не осталось», — рефреном повторяла женщина, считая, что Дмитрию Дмитриевичу достаточно «только снять трубочку» и распорядиться, чтобы тот или иной музыкант начал исполнять сочинения ее покойного мужа. Неоднократно он так и поступал: сначала из сочувствия и вежливости, потом — просто чтобы отделаться. Но просительнице было мало. «Муж умер, и никого у меня не осталось». А посему он раз за разом «снимал трубочку».

Но настал день, когда эта нестерпимая фраза вызвала у него более чем нестерпимую досаду.

И он возьми и скажи: «Да... да... А вот у Иоганна Себастьяна Баха было два десятка детей, и все они продвигали его музыку».

— Вот-вот, — подхватила вдова. — Его до сих пор исполняют! А я-то одна, совсем одна.

Надеялся он на то, что смерть освободит его музыку: освободит от жизни. Минует время, музыковеды по-прежнему будут ломать копья, а его произведения начнут говорить сами за себя. События, равно как и жизнеописания, постепенно уйдут в прошлое: возможно, когда-нибудь фашизм и коммунизм останутся только в учебниках. Вот тогда его музыка, если сохранится в ней хоть какая-то ценность... если сохранится у кого-нибудь чуткий слух... тогда его музыка будет... просто музыкой. А композитору ничего другого и не нужно. Кому принадлежит искусство, спросил он перепуганную студентку, и, притом что ответ был начертан аршинными буквами па транспаранте над головой ее мучителя, девушка не смогла ответить. Но правильным ответом была невозможность ответа. Ни прибавить, ни убавить.

Того вокзального нищего наверняка давным-давно нет в живых, а Дмитрий Дмитриевич почти сразу забыл, что сказал на перроне. Но тот, чьего имени история не сохранила, запомнил. Уловил суть, понял. Их поезд задержался посреди России, посреди войны, посреди многострадального лихолетья. Только что взошло солнце. Вдоль длинного перрона катил на тележке, привязав себя к раме веревкой, инвалид — можно сказать, ополовиненный. У двоих пассажиров была припасена бутылка водки. Вышли они из вагона. Нищий прервал свою разухабистую песню. Один вынес бутылку, другой — стаканы. Разливал Дмитрий Дмитриевич; из-под рукава выглянула подвешенная на нитке чесночная долька. Глазомер немного подкачал: водки в стаканах оказалось слегка не поровну. Нищий видел только льющуюся струю; а композитор думал о том, как Митя всегда бросался на помощь другим, а себе помочь — такова уж его планида — не умел. При этом Дмитрий Дмитриевич слушал — и, как всегда, услышал. Когда три стакана, налитые до разных отметок, сдвинулись и звякнули, он улыбнулся, склонил голову набок, так что в линзах очков сверкнуло солнце, и шепнул:

— Тоническое трезвучие.

Кто на ус мотал, тот запомнил. Война, страх, нищета, тиф, грязь — и сквозь громаду всего, ниже, выше и посреди, Дмитрий Дмитриевич услышал идеальное трезвучие. Война — сомнений нет — завершится, если, конечно, война по сути своей не вечна. Страх останется, равно как и незваная смерть, и нищета, и грязь — кто знает, может, им тоже нет конца. Но тоническое трезвучие, рождаемое даже там, где сдвинулись три грязноватых, по-разному наполненных стакана, заглушит собою шум времени, обещая пережить всех и вся. Наверное, в конечном счете это и есть самое главное.

От автора

Шостакович ушел из жизни девятого августа тысяча девятьсот семьдесят пятого, за пять месяцев до наступления очередного високосного года.

Николай Набоков, его мучитель на нью-йоркском Конгрессе сторонников мира, действительно находился на содержании ЦРУ. Когда Стравинский отказался от участия в конгрессе, им двигали не только «этические и эстетические причины», как утверждалось в его телеграмме, но и политические. По словам его биографа Стивена Уолша, «как и все белоэмигранты в послевоенной Америке, Стравинский... безусловно, не собирался ставить под удар свою с трудом завоеванную репутацию лояльного американца, выказывая хоть малейшую поддержку начинаниям, связанным с прокоммунистической агитацией».

Тихон Хренников, вопреки опасениям Шостаковича (они — плод моей фантазии), оказался не бессмертным, но вплотную подошел к бессмертию: он оставался бессменным первым секретарем Союза композиторов СССР, с момента его возрождения в 1948 году и до распада, связанного с распадом Советского Союза в девяносто первом. Начиная с сорок восьмого года Хренников сорок восемь лет давал приглаженные, обтекаемые интервью, утверждая, что Шостаковичу, человеку жизнелюбивому, бояться нечего. («И волчьей клятвой утверждаю...» — съязвил композитор Владимир Рубин.) Хренников всегда оставался на плаву и хранил верность властям предержащим: в две тысячи третьем году он получил государственную награду из рук Владимира Путина. Тихон Николаевич дожил до девяноста четырех лет и умер в две тысячи седьмом.

Шостакович был многоликим рассказчиком своей судьбы. Одни эпизоды отражены у него в разных версиях, которые создавались и «оттачивались» годами. Другие — например, то, что произошло с ним в ленинградском Большом доме, — существуют в единственной версии, которая много лет спустя после смерти композитора пересказывается по одному и тому же источнику. Вообще говоря, в сталинскую эпоху выяснить правду было нелегко, а отстоять — тем более. Даже сами имена от неуверенности видоизменяются: например, следователь, который допрашивал Шостаковича в Большом доме, именуется то Занчевским, то Закревским, то Заковским. Для биографа-документалиста это чума, для романиста — находка.

Шостаковичу посвящена обширная библиография; музыковеды обычно выделяют два основных источника — подробный, многогранный труд Элизабет Уилсон «Shostakovich: A Life Remembered» (1994; переиздание, с исправлениями, 2006) и книга С. Волкова «Testimony: The Memoirs of Shostakovich as Related to Solomon Volkov» (1979) — воспоминания Шостаковича, записанные с его слов. Публикация книги Волкова вызвала эффект разорвавшейся бомбы как на Западе, так и в социалистическом лагере, став причиной «шостаковичских войн», не утихавших на протяжении десятилетий. Я рассматривал его книгу как дневниковые записи, которые, казалось бы, не отступают от истины, однако сделаны, как водится, непосредственно после описанных событий, в соответствующем настроении, через призму заблуждений и упущений тех лет. Другие ценные источники включают «Историю одной дружбы» Исаака Гликмана (2001), а также сборник интервью с детьми композитора, составленный Михаилом Ардовым и опубликованный под заглавием «Вспоминая Шостаковича» (2004).

Среди тех, кто помогал мне в работе над этой книгой, отмечу в первую очередь Элизабет Уилсон. Она поделилась со мной уникальными материалами, исправила ряд погрешностей и прочла верстку. Но авторство этой книги принадлежит мне; если вам не нравится, читайте Элизабет Уилсон.

Дж. Б.
Май 2015 г.

Примечания

«Шум времени» — заглавие романа повторяет заглавие созданного в 1923 г. философско-автобиографического произведения О. Э. Мандельштама, в значительной степени посвященного музыке. В свою очередь, заглавие произведения Мандельштама отсылает к метафоре Александра Блока «музыка времени».

С. 14. *Война-то была другая, да враги прежние, разве что имена поменялись, причем с двух сторон.* — Например, песня «Священная война» («Вставай, страна огромная...») была написана еще в 1914 г. и первоначально звала на бой не с «фашистской», а с «германской силой темною». Кроме того, «многие полковые марши русских частей (особенно гвардейских) были заимствованы из прусской армии либо из произведений немецких композиторов. В частности: самый популярный т. н. „старый“ Егерский марш, который так любил Николай II, является маршем прусских егерей 1814 г.; полковым маршем Лейб-гвардии Кирасирского Ея Величества полка служил германский Хохенфридебергский марш» (*Веремеев Ю.* Песни Русской армии).

С. 15. *...горланил лихие куплеты про деревенские непотребства.* — Имеется в виду песня, которую во время и после войны пели по вагонам инвалиды, прося подаяние якобы от лица обездоленных детей Льва Толстого. Тексты вагонных песен обычно воспринимались как народные (сейчас одним из авторов исходного текста называют Алексея Охрименко) и существовали во множестве вариантов. Например, в таком:

Однажды покойная мама
К нему в сеновал забрела.
Случилась ужасная драма,
И мама меня родила.

В деревне той, Ясной Поляне,
Теперь никого, ничего...
Подайте ж, подайте, славяне,
Я сын незаконный его!

Или в таком:

Однажды почтенная мама
На графский пришла сеновал.
Случилась там страшная драма,
Граф маму изнасиловал.

Вот так разлагалось дворянство,
Вот так распадалась семья.
В результате такого фулюганства
Родился подкидышем я.

Я родственник Левы Толстого,
Его незаконнорожденный внук...
Так подайте чего-нибудь такого
Из ваших мозолистых рук!

(См.: В нашу гавань заходили корабли. Пермь: Книга, 1996).

С. 20. *Добродушное, бородатое лицо Юргенсена...* — Фамилия Юргенсен вызывает ассоциации с видными деятелями российской музыкальной культуры, и прежде всего с Петром Ивановичем Юргенсоном, выходцем из Эстонии, который по совету пианиста и дирижера Н. Г. Рубинштейна основал в России нотно-музыкальное издательство и первую в стране нотопечатню. Дело Юргенсона продолжил его сын, Борис Петрович Юргенсон (1868–1935), старший современник Д. Д. Шостаковича. Характерно, что в настоящее время «Музыкальное издательство „П. Юргенсон“», входящее в объединение издательств «Издательский дом „Музыка“ — „П. Юргенсон“ — „Гамма-Пресс“», занимается, помимо всего прочего, распространением книг и нот, выпускаемых российским издательством «DSCH» (данная аббревиатура представляет собой транскрибированные латиницей инициалы имени «Дмитрий Шостакович»).

...и поет «Отцвели уж давно хризантемы в саду». — «Отцвели уж давно хризантемы в саду, / Но любовь все живет в моем сердце больном» — припев популярного русского романса «Отцвели хризантемы». Музыка Николая Харито, слова Василия Шумского.

С. 21. *Память вдруг улетучилась, а ее место заполонил страх.* — По свидетельству Надежды Мандельштам, «в годы террора не было дома в стране, где бы люди не дрожали, прислушиваясь к шелесту проходящих машин и к гулу поднимающегося лифта». (Цит. по: *Мандельштам Н. Я.* Воспоминания. М.: Согласие, 1999. С. 412–413.)

И от судеб защиты нет, как сказано у поэта. — «И от судеб защиты нет» — заключительная строка поэмы А. С. Пушкина «Цыганы». Д. Д. Шостакович еще в студенческие годы работал над одноименной оперой. В 1926 г., когда у композитора наступил творческий кризис, продлившийся почти год, рукопись была уничтожена, о чем впоследствии Д. Д. Шостакович писал так: «Не могу сейчас вспомнить почему, но в какой-то короткий период после окончания консерватории я был внезапно охвачен сомнением в своем композиторском призвании. Я решительно не мог сочинять и в припадке „разочарования“ уничтожил почти все свои рукописи. Сейчас я очень жалею об этом, так как среди сожженных рукописей была, в частности, опера „Цыганы“ на стихи Пушкина». (Цит. по: *Шостакович Д.* Думы о пройденном пути // Советская музыка. 1956. № 9. С. 11.)

Он вспомнил, как мучился от боли в ночь перед операцией аппендицита. Двадцать два раза начиналась рвота; на сестру милосердия обрушились все известные ему бранные слова, а под конец он стал просить знакомого, чтобы тот привел милиционера, способного единым махом положить конец всем мучениям. Пусть с порога меня пристрелит, молил он. Но приятель отказал ему в избавлении. — Из письма Д. Д. Шостаковича Б. Яворскому от 27 января 1927 г.: «Предпочитаю потерять аппендикс, но не вопить от боли во время припадков и рвать в теченьи ночи 22 раза, что со мной случилось в ночь с субботы на „светлое“ (если не ошибаюсь) воскресенье. 〈...〉 Я орал на всю больницу, бил сестер милосердия, „выражался“ последними словами до тех пор, пока не уснул от морфия, кот. мне впрыснули. В то же время... вспоминал Валерьяна Михайловича и просил привести милиционера, чтобы он смилостивился и пристрелил меня. Милиционера не позвали». Болеслав Леопольдович Яворский (1877–1942) — музыковед, педагог, композитор, общественный деятель; был консультантом Д. Д. Шостаковича, Г. В. Свиридова и других композиторов. Валериан Михайлович Богданов-Березовский (1903–

1971) — композитор, педагог, ведущий музыкальный критик Ленинграда.

С. 22. *...«Герцеговина Флор». Некто потрошит папиросы, чтобы набить трубку...* — В общественном сознании папиросы «Герцеговина Флор» и набивание трубки извлеченным из них табаком прочно связаны с образом Сталина. Этому есть свидетельства в литературе, например: «И я шагаю, как генералиссимус, / И мну в руках „Герцеговину Флор"» (А. Иванов, финал пародии на стихотворение Ф. Чуева).

...как сказал доктор на просьбу приставить нос: «Оно, конечно, приставить можно; но я вас уверяю, что это для вас хуже». — Ср.: «Оно, конечно, приставить можно; я бы, пожалуй, вам сейчас приставил его; но я вас уверяю, что это для вас хуже» (*Гоголь Н. В.* Нос // Гоголь Н. Собр. худож. произв.: В 5 т. Т. 3. М.: Изд-во Академии наук, 1952. С. 84).

С. 23. *Этого не может быть, потому что этого не может быть никогда, как сказал градоначальник при виде жирафы.* — «Этого не может быть, потому что этого не может быть никогда» — цитата из рассказа А. П. Чехова «Письмо ученому соседу», написанного от лица «отставного урядника из дворян», возмущенного тем, что в некоем научном сочинении сказано, будто на солнце есть «черные пятнушки». В данном случае приводится как аллюзия на эпизод, описанный самим композитором: «Когда на репетициях „Клопа" нас с Маяковским стали знакомить, то он протянул мне два пальца, а я ему в ответ, не будь дурак, один палец протянул. Тут наши пальцы и столкнулись. Маяковский несколько даже опешил. Потому что ему хамство всегда с рук сходило. А тут вдруг „воробей", от земли не видно, гонор выказывает. Этот эпизод мне запомнился очень хорошо. Поэтому я не реагирую, когда сейчас мне пытаются доказать, что такого не было. По известному принципу: „этого не может быть, потому что этого не может быть никогда“. Так однажды градоначальник сказал, увидев жирафа. Как же, „лучший, талантливейший“ — и такой грубиян. Как-то меня пригласили на телевидение: они там готовили передачу о „лучшем, талантливейшем“. Видно, решили, что и я поделюсь воспоминаниями о том, какой Маяковский был чуткий, добрый и воспитанный. Я рассказал сотрудникам телевидения о нашем с Маяковским знакомстве. Они несколько замялись и говорят: нетипично. А я им отвечаю: почему нетипично, как раз типично. В общем, не состоялось мое выступление» (*Шостакович Д. Д.* Свидетельство: Воспоминания Шостаковича, записанные и отредактированные Соломоном Волковым. Цит. по: Testimony. The Memoirs of Dmitri Shostakovich: As Related to and Edited by Solomon Volkov. Hamish Hamilton Ltd. London, 1979).

С. 25. *Ириновка* — деревня в Рахьинском городском поселении Ленинградской области. Известна с 1580 г.; неоднократно меняла название. Население ее составляли русские, финны и эстонцы. История Ириновки связана с именами видных деятелей российской культуры. Императрица Елизавета Петровна в 1747 г. пожаловала т. н. мызу Марисельскую вдове подполковника Марфе Сахаровой за заслуги мужа. Придворный банкир барон Иван (Иоганн) Юрьевич Фредерикс, в 1773 году купивший мызу, построил здесь усадьбу и два стекольных завода. В Ириновке была дача петербургского градоначальника барона П. Л. Корфа. К двухэтажному дому, стены которого облицованы желтым английским глазурованным кирпичом, примыкают лестница, терраса и широкое крыльцо. После 1917 г. в здании некоторое время размещался Шлиссельбургский совет, с 1921-го — больница (см.: *Однобокова Л.* Здесь лечили защитников Дороги жизни // Всеволожские вести. 2011. 14 сент.). Автором проекта дома в стиле «кирпичного» модерна предположительно был русский архитектор, выходец из Германии И. С. Китнер (1839–1929). В Санкт-Петербурге сохранились построенные им здания: доходный дом на 13-й линии Васильевского острова, д. 20, особняк К. Б. Зигеля на ул. Марата, д. 63, Пальмовая оранжерея Ботанического сада (в соавторстве) и нек. др.

...отец служил на руководящей должности. — В 1910–1916 гг. Дмитрий Болеславович Шостакович руководил «лесными и торфяными разработками на Ириновской железной дороге и по реке Неве... Его жена Софья Васильевна, сын Дмитрий и дочери Зоя и Мария летом отдыхали в Ириновке на даче» (Газета «Ладога». 21.01.2013).

С. 26. *Руки: одни выскальзывают, другие жадно тянутся. В детстве он боялся мертвецов: вдруг они поднимутся из могил и утянут его в холодный, черный мрак, где глаза и рот забьются землей. Этот страх мало-помалу отступил, потому что руки живых оказались еще страшнее. Петроградские проститутки не считались с его юностью и неискушенностью. Чем труднее времена, тем настырней руки.* — Ср. фрагменты воспоминаний Д. Д. Шостаковича, записанных и опубликованных С. Волковым (с необходимостью цитируются в обратном переводе с английского): «Еще я помню, что в Петрограде было много проституток. Они выходили на Невский проспект по вечерам. Это началось во время войны, они обслуживали солдат. Проституток я тоже боялся. ⟨...⟩ Я, очевидно, тоже боялся протянутых рук. Рука может схватить вас. Это — боязнь быть захваченным. И, кроме того, чужая рука может отнять еду. ⟨...⟩ Ребенком я боялся трупов. Я боялся, что они выскочат из своих могил и схватят меня» (Testimony. The Memoirs of Dmitri Shostakovich: As Related to and Edited by Solomon Volkov. Hamish Hamilton Ltd., London 1979).

С. 27. *Теория «стакана воды»* — взгляды на любовь, брак и семью, популярные среди молодежи в первые годы советской власти. Данная теория проповедовала отрицание любви и сведение отношений между мужчиной и женщиной к инстинктивной сексуальной потребности, которая должна находить удовлетворение без всяких «условностей», так же просто, как утоление жажды при помощи стакана воды. Иногда авторство этой теории ошибочно приписывают Александре Коллонтай и Кларе Цеткин, которые, впрочем, никогда не низводили свободные феминистские взгляды до примитивного уровня «стакана воды». Считается, что эта фраза впервые появилась в печати в 1852 г., когда вышла в свет биография Ф. Шопена, написанная Ф. Листом. В книге цитировались слова подруги Шопена, писательницы Авроры Дюдеван (известной под псевдонимом Жорж Санд), ведущей «эмансипантки» своей эпохи, о том, что любовь, как стакан воды, должна даваться всякому, кто попросит.

С. 30. *Малько*, Николай Андреевич (1883–1961) — русский советский дирижер, который руководил премьерами Первой и Второй симфоний, а также других сочинений Шостаковича. Ученик Н. Римского-Корсакова и А. Лядова. В 1925–1928 гг. — главный дирижер Ленинградской филармонии и профессор Ленинградской консерватории. С 1929 г. Н. А. Малько жил за границей и содействовал популяризации симфоний Шостаковича. С 1956 г. был дирижером симфонического оркестра в Сиднее, в 1959 г. гастролировал с ним в СССР. Автор книги «Дирижер и его палочка» (The Conductor and His Baton), изданной в Копенгагене.

В шестнадцать лет направили его в крымский санаторий, восстанавливать здоровье после туберкулеза. — В начале 1923 г. у Дмитрия Шостаковича обнаружили туберкулез бронхиальных и лимфатических желез. Юноша перенес операцию, после которой ему был предписан восстановительный период в Крыму. Софье Васильевне пришлось продать рояль, чтобы сын Митя в сопровождении старшей сестры Марии смог на месяц выехать в санаторий. В это же время там отдыхали Б. М. Кустодиев с женой, а также несколько музыкантов, благодаря чему Шостакович смог завязать новые знакомства.

С. 31. *Приставленная к нему сестра Маруся наклязничала матери.* — В августе 1923 г. старшая сестра композитора Мария Шостакович писала матери из Крыма о Татьяне Гливенко: «Девица странная, кокетка, мне не нравится, но ведь на сестер так трудно угодить».

Софья Васильевна обратной почтой предостерегла сына против связи с этой незнакомкой и, в сущности, против любой связи. В ответ он с апломбом шестнадцатилетнего юнца разъяснил маме принципы Свободной Любви. В том смысле, что у всех должна быть свобода любить, как им вздумается, что плотская любовь недолговечна, что равенство полов не подлежит сомнению, а институт брака следует упразднить, но, пока в реальности брак все же существует, женщина имеет полное право полюбить другого, а если потом захочет уйти к нему, то мужчина обязан дать ей развод и взять вину на себя; и тем не менее, при всем при том, дети — это святое. — Из письма Д. Д. Шостаковича к матери от 3 августа 1923 года из г. Кореиз (Крым): «Ты пишешь, чтобы я был осторожен и не бросался в омут. На это я хочу развести маленькую философию. Чисто животная любовь... это такая гадость, что о ней не стоит говорить. Я думаю, что у тебя не было обо мне таких мыслей. ⟨...⟩ ...это даже хорошо, что Любовь действительно свободна. Обет, данный перед алтарем, — это самая страшная сторона религии. Любовь не может продолжаться долго. Самое, конечно, лучшее, что можно вообразить, это полное упразднение брака, т. е. всяких оков и обязанностей при любви. ⟨...⟩ И, мамочка дорогая, я тебя предупреждаю, что, возможно, если я полюблю когда-нибудь, то моей целью не будет связать себя браком. Но если я женюсь и моя жена полюбит другого, то я ни слова не скажу, если ей понадобится развод, я дам ей его, взяв вину на себя. ⟨...⟩ Но в то же время существует святое призвание матери и отца. Так что когда обо всем подумаешь, то прямо голова начинает трещать. Во всяком случае, любовь свободна! Ты, мамочка, прости, что я с тобой так разговариваю. В данном случае я с тобой говорю не как сын, а как философ с философом. ⟨...⟩ Мне бы очень хотелось, чтобы ты мне написала бы словечка два по этому поводу» (*Шостакович Д. Д.* Письма к матери // Нева. 1986. № 9. С. 168).

...Тане он посвятил свое первое фортепианное трио. — Трио до минор для рояля, скрипки и виолончели, соч. 8, было создано в 1923 году. В 1980-е гг. музыковед Сергей Сапожников, изучая партитуру Первого трио Шостаковича, обнаружил посвящение этого сочинения Татьяне Гливенко. Ему удалось разыскать Татьяну Ивановну, которой в то время было уже за семьдесят, в Москве. В последовавшем много-

летнем общении она сделала для Сапожникова выписки из писем обо всем, касающемся творческого роста Шостаковича как музыканта, художника. В своей книге «Мой Шостакович» С. Сапожников пишет: «Книга состоит из двух очерков. Первый — „Младые годы, или Неосознанный рай“, основан на глубоко личной переписке молодого Шостаковича с его сверстницей, в которую он влюбился, будучи семнадцати лет от роду. Из ста сорока девяти полученных от Шостаковича писем (а это около 500 страниц) их получательница Татьяна Ивановна Гливенко сделала по моей просьбе выписки (51 страницу тетрадочного формата) — все, что касается творчества самого Шостаковича и артистической среды, окружавшей его. Плюс к этому передала мне несколько фотокопий с оригиналов писем. Всю интимную часть писем Татьяна Ивановна Гливенко собиралась сохранить в тайне, как она говорила мне, „положить в банк лет на пятьдесят, чтобы никакие откровенные его высказывания не стали бы достоянием досужих пересудов, не навредили бы памяти великого композитора!“. Из выписанных ею, расставленных в хронологическом порядке фрагментов этих писем предстают факты, раскрывающие путь становления юного композитора...» На с. 6 указанной книги воспроизведено факсимильное изображение письма Шостаковича Т. И. Гливенко, где говорится: «Я начал здесь сочинять. Трио для рояля, скрипки и виолончели. Посвящается тебе, если ты ничего не будешь иметь против» (*Сапожников С.* Мой Шостакович. Из публицистической сюиты «На перепутье мне явились». М.: Артистическое общество «Ассамблеи искусств», 2006).

С. 32. *...в Архангельске. Его пригласили сыграть свой Первый фортепианный концерт с местным ор-*

кестром под управлением Виктора Кубацкого, с которым они уже исполняли новую сонату для виолончели. — Кубацкий Виктор Львович (1891–1970) — советский виолончелист и педагог. Явился первым исполнителем Сонаты для виолончели и фортепиано ре минор Д. Д. Шостаковича. Сочинению сонаты предшествовало совместное пребывание Д. Д. Шостаковича и В. Л. Кубацкого летом 1934 г. в доме отдыха Большого театра «Поленово», где вечерами они вместе музицировали, играя сонаты Брамса, Грига, Рахманинова. Соната была закончена Д. Д. Шостаковичем в сентябре этого же года и посвящена В. Л. Кубацкому. Впервые ее исполнили автор и В. Л. Кубацкий в Ленинграде 25 декабря 1934 г.

С. 33. *«Борис Годунов»* — опера М. П. Мусоргского на собственное либретто по одноименной драме А. С. Пушкина и «Истории государства Российского» Н. М. Карамзина. Известна в двух авторских редакциях (1869 и 1872), в двух редакциях Римского-Корсакова (1896 и 1908), а также в редакции и оркестровке Д. Д. Шостаковича (1940).

«Князь Игорь» — опера А. П. Бородина. Сюжетную основу оперы составляет памятник древнерусской литературы «Слово о полку Игореве». Премьера состоялась в 1890 г. в Мариинском театре. К этой опере нередко обращается массовая культура XX–XXI вв. Например, в сериале BBC об Эркюле Пуаро (1993) по произведениям Агаты Кристи одна из героинь уводит подозреваемого слушать оперу «Князь Игорь», чтобы Пуаро мог обыскать его дом. В эпизоде в Брюссельском оперном театре слышны слова «Идем мы с надеждой на Бога...». В художественном фильме «Пятый элемент» (1997) использована обработка половецких плясок. Церемония открытия зимних Олимпийских игр 2014 г. в Сочи также вклю-

чала фрагменты из оперы, в частности музыку из хора невольниц «Улетай на крыльях ветра».

...товарищей Молотова, Микояна и Жданова. — Молотов (настоящая фамилия Скрябин) Вячеслав Михайлович (1890–1986) — один из высших руководителей ВКП(б) и КПСС с 1921 по 1957 г.: председатель Совета народных комиссаров. Отличался особой ревностностью в исполнении приказов Сталина. По некоторым сведениям, подписывая приговоры «врагам народа», добавлял: «заменить 10 лет на расстрел». Личность Молотова получает неоднозначную оценку историков и мемуаристов. Если в высказываниях А. И. Солженицына предстает «самодовольный, тупой... Молотов, весь пропитанный нашей кровью» (*Солженицын А.* Архипелаг ГУЛаг. Т. 1), то К. Симонов подчеркивает, что в его среде Молотов был стабильно популярен (*Симонов К.* Глазами человека моего поколения. Размышления о И. В. Сталине. М.: АПН, 1989). Микоян Анастас Иванович (настоящее отчество Ованесович) (1895–1978) — российский революционер, советский партийно-правительственный деятель. Один из наиболее влиятельных советских политиков. В 1935–1966 гг. член Политбюро ЦК КПСС. С 1937 г. заместитель, в 1955–1964 гг. первый заместитель главы правительства СССР. Микоян начал свою карьеру при жизни В. И. Ленина и ушел в отставку лишь при Л. И. Брежневе. В связи с этим фольклор советской эпохи описывал политическое долголетие Микояна фразой «от Ильича до Ильича без инфаркта и паралича». Жданов Андрей Александрович (1896–1948) — советский партийный и государственный деятель, член Политбюро ЦК ВКП(б). В 1939–1940 гг. — начальник Управления пропаганды и агитации ЦК ВКП(б), в 1934–1945 гг. первый секретарь Ленинградского обкома и горкома ВКП(б).

С. 34. *Северный вокзал* — ныне Ярославский вокзал. Действует с 1862 г. До 1870 г. — Троицкий вокзал, до 1922 г. — Ярославский вокзал, до 1955 г. — Северный вокзал.

С. 36. *«Нет, не тебя так пылко я люблю»* — романс Н. Титова на стихи М. Ю. Лермонтова.

С. 38. *Он выбирал какую-нибудь дату...* — Д. Д. Шостакович вел свой ежедневник неукоснительно точно, соблюдая однажды избранные приемы записи, а постоянные рубрики заполнял на пять лет вперед. (См. об этом: *Домбровская О.* В. Две страницы из ежедневника Д. Д. Шостаковича // Дмитрий Шостакович: Исследования и материалы. Вып. 1 / Ред.-сост. Л. Г. Ковнацкая и М. А. Якубов. М.: DSCH, 2005. С. 68.)

С. 39. *...слушатели явно отдавали предпочтение сочинениям Шебалина.* — Шебалин Виссарион Яковлевич (1902–1963) — советский композитор, педагог, профессор Московской консерватории. Лауреат двух Сталинских премий первой степени (1943, 1947). Среди его учеников — композиторы Т. Хренников, О. Фельцман, А. Пахмутова, Э. Денисов, С. Губайдулина и мн. др. Всенародной любовью пользуется его песня «Зимняя дорога» на стихи А. С. Пушкина. Д. Д. Шостакович познакомился с В. Я. Шебалиным осенью 1923 г.; их дружба возникла очень быстро и продлилась долгие годы. Настоящим композиторским дебютом Шостаковича стал его совместный концерт с Виссарионом Шебалиным, организованный 20 марта 1925 г. В первой части программы значились сочинения Шебалина (Quasi-соната для фортепиано, романсы и Струнный квартет), а во второй — Трио, Три фантастических танца, Три пьесы для виолончели и фортепиано и Сюита для двух фортепиано Шостаковича. Один из присутствовавших на концерте вспоминал: «...и на меня, и на других слушателей музыка Шебалина произвела тогда гораздо более сильное впечатление, чем произведения его товарища». (Цит. по: *Александров А.* Далекие годы // Виссарион Яковлевич Шебалин: Статьи, воспоминания, материалы. М.: Сов. композитор, 1970. С. 204.)

Как и его сестры, за рояль он сел в девятилетнем возрасте. — Сам Д. Д. Шостакович свидетельствует: «„Слишком корень ученья горек, чтобы стоило учиться играть“, — думал я. Но мать все же настояла и летом 1915 года стала давать мне уроки игры на рояле. Так завела у нас мать порядок, как девять лет исполнится — садись за рояль. Так было с моими двумя сестрами, так было и со мной. Занятия пошли успешно. Я полюбил музыку, полюбил рояль» (*Шостакович Д. Д.* Автобиография // Советская музыка. 1966. № 9).

С. 40. *Он напряженно работал, ибо напряженная работа давала ему радость.* — «Напряженная творческая работа дает мне радость...» — признавался Д. Д. Шостакович 27 апреля 1936 г. в письме В. Кубацкому. (Цит. по: *Хентова С. М.* Шостакович в Петрограде-Ленинграде». Л.: Лениздат, 1981. С. 121.)

...блистательный композитор, сочинивший в двадцать шестом году, еще девятнадцатилетним, свою Первую симфонию, которую тут же приняли Бруно Вальтер... — Бруно Вальтер (1876–1962) — выдающийся немецкий и американский оперный и симфонический дирижер и пианист. Всего через несколько месяцев после премьеры Первой симфонии Шостаковича в 1926 г. в Ленинграде и Москве состоялось первое зарубежное исполнение этой симфонии в Берлине под руководством уже тогда всемирно известного дирижера Бруно Вальтера. На концерте присут-

ствовал известный композитор Альбан Берг, который выразил свое восхищение музыкой в письме, адресованном Д. Д. Шостаковичу.

Тосканини, Артуро (1867–1957) — выдающийся итальянский дирижер, в разные периоды возглавлявший Ла Скала и Метрополитен-оперу. Первый исполнитель Седьмой (Ленинградской) симфонии Д. Д. Шостаковича на Американском континенте (1942). Перед выступлением Тосканини сказал: «Это выдающееся сочинение есть торжество человека, торжество духа над материей, ради которого стоит жить. Жить и побеждать. (Цит. по: *Дотлибов М.* Дмитрий Дмитриевич Шостакович и Германия // Партнер. 2006. № 9 (108).)

Клемперер, Отто (1885–1973) — немецкий дирижер и композитор. Имел репутацию поборника новой музыки; включал в свой репертуар произведения современников: Яначека, Шёнберга, Стравинского, Хиндемита. В 1920–1930 гг. Отто Клемперер неоднократно гастролировал в СССР и произвел неизгладимое впечатление на московскую и ленинградскую публику. В 1933 г., с приходом к власти нацистов, О. Клемперер покинул Германию и эмигрировал в США.

С. 41. *...еще в студенческие годы группка ретивых однокашников добивалась, чтобы его сняли со стипендии, а потом и вовсе исключили.* — Сразу по окончании фортепианного класса, по не установленным на сегодняшний день причинам, Шостаковича вычеркнули из списка студентов. После выпускного экзамена он подал заявление с просьбой о продолжении фортепианных занятий в рамках так называемого академического курса (позднее — аспирантура), но ему не только не дали разрешения, но и попросту исключили из консерватории, мотивируя это его «явной незрелостью». Тем самым для него стали невозможными и композиторские занятия. Поначалу Шостакович впал в отчаяние. Тогда его педагог Николаев великодушно предложил учить его в дальнейшем частным образом, на дому, о чем между прочим можно узнать из письма к нему Софьи Васильевны: «Что же касается самых последних событий в связи с изгнанием Мити из консерватории, то оба мы совершенно не возражаем против постановления совета, что он и молод, и незрел для „Академии". Но я никак не могу примириться с тем фактом, как могла консерватория закрыть двери перед таким исключительно даровитым мальчиком в 17 лет, пробывшим в консерватории неполных 4 года, и этим самым лишить его возможности продолжать музыкальное образование, хорошо зная мое материальное положение». (Цит. по: *Николаев Л. В.* Статьи и воспоминания современников. Письма. К столетию со дня рождения. Л.: Сов. композитор, 1979. С. 255–256.)

Формализм — идеологическое клише, использовавшееся в СССР, главным образом в 1930–1950-е гг., для идеологической борьбы с целыми направлениями в искусстве и гонений на отдельных художников. В 1930-е гг. сами слова «формализм», «формалист» превратились в ругательства. Обвинению в формализме подвергались обычно советские и зарубежные художники, писатели и музыканты, не выразившие достаточной преданности партийному руководству.

...арестовали и расстреляли... Мишу Квадри... — Композитор Михаил Квадри был репрессирован как итальянец, имевший родственников за границей. «Шостакович посвятил ему „Басни Крылова" и свою Первую симфонию. И это посвящение было напеча-

тано в первых изданиях симфонии. Но после того, как Квадри расстреляли, посвящение не могло появиться в печати. ДД долгие годы поддерживал отношения с его семьей. Помогал, заботился о ней во время войны» («Лучший враг народа». Интервью с Манаширом Якубовым, главным хранителем архива Д. Д. Шостаковича // Московский комсомолец. 2006. 25 сент.).

С. 43–44. *...газета писала, что опера «крякает, ухает, пыхтит, задыхается»... ⟨...⟩ ...левачество характеризовалось как бесконечно далекое «от подлинного искусства, от подлинной науки, от подлинной литературы».* — Цитаты из статьи «Сумбур вместо музыки» приведены по изданию: Власть и художественная интеллигенция. Документы ЦК РКП(б) — ВКП(б), ВЧК — ОГПУ — НКВД о культурной политике. 1917–1953 / Под ред. А. Н. Яковлева; Сост. А. Н. Артизов, О. В. Наумов. М.: Международный фонд «Демократия», 1999.

С. 44. *«Имеющий уши да услышит»...* — Мф. 11: 15.

С. 45. *Платон Михайлович Керженцев* (1881–1940) — председатель Комитета по делам искусств при Совете народных комиссаров СССР с 1936 по 1938 г.

Помимо этого, следует декларировать свое твердое намерение погрузиться в песни народов СССР, которые помогут ему переориентироваться на все подлинное, популярное, мелодичное. — 7 февраля 1936 г., после визита Д. Д. Шостаковича, П. М. Керженцев написал докладную записку Сталину и Молотову, где, в частности, говорилось: «Сегодня у меня был (по собственной инициативе) композитор Шостакович. ⟨...⟩ Я ему посоветовал... поездить по деревням Советского Союза и записывать народные песни России, Украины, Белоруссии и Грузии и выбрать из них и гармонизировать сто лучших песен. Это предложение его заинтересовало, и он сказал, что за это возьмется. Я предложил ему перед тем, как он будет писать какую-либо оперу или балет, прислать нам либретто, а в процессе работы проверять отдельные написанные части перед рабочей и колхозной аудиторией...» (Цит. по: DSCH. Жизнь и творчество Дмитрия Шостаковича. Документальная хроника.)

С. 47. *Потом их с Таней окружила и чуть-чуть не загрызла свора диких собак.* — В письме к Е. Е. Константиновской (см. ниже) от 29 июня 1934 г. Д. Д. Шостакович с долей самоиронии описал этот эпизод так: «Кроме того, я здесь чуть-чуть не был съеден стаей диких собак. Если бы не моя находчивость и храбрость (...я наделен этими качествами в избытке), то вряд ли бы я продолжал жить и радоваться...» (Цит. по: *Хентова С. М.* Удивительный Шостакович. СПб.: Вариант, 1993. С. 105.)

...от османской крепости... — Османская (турецкая) крепость «Анапа», самая мощная на Черноморском побережье Черкесии, была построена в 1781–1783 гг. по приказу султана Абдул Гамида с привлечением французских инженеров.

С. 51. *Его, конечно, избаловали, ведь он рос «маменькиным сынком»...* — По свидетельству современников, «маменькиным сынком» называл Д. Д. Шостаковича дирижер и педагог Николай Андреевич Малько (см. выше).

С. 52. *...насвистывая «Песню о встречном».* — Песня Д. Д. Шостаковича на стихи поэта Д. Самойлова («Нас утро встречает прохладой») была написана для художественного фильма «Встречный» (1932) режиссеров Ф. Эрмлера и С. Юткевича. Вопреки распространенному в современной России заблуждению, название «Встречный» отсылает не к образу случайного встречного, а к так называемому встречному плану, то есть повышенным обязательствам рабочего коллектива, перекрывающим «спущенные сверху» показатели. В фильме рабочие Ленинградского металлического завода принимают на себя обязательство досрочно сконструировать и наладить выпуск первых советских гидравлических турбин, необходимых для строительства гидроэлектростанций по плану ГОЭЛРО.

...Мопассан в новелле о молодом командире гарнизона некоего средиземноморского города. — Имеется в виду новелла Г. де Мопассана «Госпожа Парис» (перев. с фр. И. Татариновой). См. *Мопассан Г. де.* Собр. соч.: В 10 т. Т. 6. М.: МП «Аурика», 1994.

С. 53. *Гаук*, Александр Васильевич (1893–1963) — известный советский дирижер. В 1930 г. под его управлением состоялась премьера Третьей симфонии Д. Д. Шостаковича.

С. 54. *...развод получить — пара пустяков...* — С 1926 по 1936 г. развод оформлялся в загсе, для чего достаточно было желания одной стороны. Другому супругу посылалась открытка с извещением о расторжении брака.

С. 55. *Ему представилось, как сменивший Закревского сотрудник органов, сидя у себя в кабинете, протянет ему пачку «Беломора». А он откажется и в ответ предложит свой «Казбек».* — В отличие от «Беломора», папиросы «Казбек» выпускались в двух видах: недорогой вариант в глухо закрытой упаковке и более дорогой, в распахивающейся коробке. История сохранила имена автора рецептуры «Казбека» — табачного мастера В. И. Иоаниди и художника — Аслагерея Хохова.

С. 58. *...затеяли развод, дали объявление в газету...* — При И. В. Сталине процедура развода в СССР была довольно сложной; непременным условием стала дорогостоящая газетная публикация — стандартное объявление о начале процедуры развода (это правило было отменено лишь в 60-е гг.). В Ленинграде такие объявления печатались на последней полосе газеты «Вечерний Ленинград». Об этом сохранились свидетельства в художественной литературе, например: «— Что в „Вечерке"? — спросила его мама. — Ничего... Гражданка Безденежных А. Л. разводится с Безденежных М. С... — Ее можно понять, — сказала мама со значением» (*Зверев И.* Второе апреля. М.: Сов. писатель, 1968).

В разгар тех перипетий он написал своей возлюбленной, Елене: «Человек я очень слабохарактерный, и смогу ли я достичь своего счастья, не знаю». — Цитируется отрывок из письма к Е. Е. Константиновской, отправленного композитором 9 августа 1934 г. из Поленово. Елена Константиновская, которую Д. Д. Шостакович называл Лялей, окончила филологический факультет Ленинградского университета и была переводчицей в аппарате советского военного советника в Испании. Д. Д. Шостакович познакомился с ней на одном из международных музыкальных фестивалей, где она переводила его интервью. Впоследствии преподавала на кафедре иностранных языков Ленинградской консерватории. Была замужем за Романом Карменом, известным советским документалистом. В 1936 г. Е. Е. Константиновскую арестовали по ложному доносу. В тюрьме она получила открытку от Шостаковича (отправить подобную открытку было в те годы актом гражданского мужества). Константиновской повезло: ее освободили. Шостакович пришел к ней домой с альбомом вырезок из газет с разносными статьями о своем творчестве (это было после статьи в газете «Правда» о «сумбуре вместо музыки») и сказал: «Вот видите, как хорошо, что вы не вышли за меня замуж» (приводится по записи беседы С. М. Хентовой с Е. Е. Константиновской 29 августа 1975 г. См.: *Хентова С. М.* В мире Шостаковича. Записи бесед. М., 1996. С. 308).

С. 59. *...шелуха отпала от глаз их.* — Деяния 9: 18, с изм.

А потом в газетах — причем в самых нейтральных фразах — замелькало выражение, от которого уже было не отмыться. Например: «Сегодня состоится концерт из произведений врага народа Шостаковича». — По свидетельству музыковеда Генриха Орлова, когда в 1936 г., после выхода статьи «Сумбур вместо музыки», Шостакович приехал на гастроли в Киев, одна из газет написала: «В наш город приехал известный враг народа Шостакович» (*Орлов Г. Д.* Д. Шостакович. М.: Музыка, 1966).

С. 60. *...не зря же именно писатели... звались инженерами человеческих душ?* — По свидетельству литературоведа Виктора Шкловского, афоризм «Писатели — инженеры человеческих душ» был высказан прозаиком Юрием Олешей на встрече писателей со Сталиным. «Позже Сталин корректно процитировал эту формулу: „Как метко выразился товарищ Олеша, писатели — инженеры человеческих душ“. Вскоре афоризм был приписан Сталину, и он скромно примирился с авторством» (*Борев Ю.* Сталиниада. М.: Сов. писатель, 1989. С. 23).

С. 61. *История повторилась дважды: первый раз в виде фарса, второй — в виде трагедии.* — Парафраз известного утверждения Карла Маркса: «Гегель где-то отмечает, что все великие всемирно-исторические события и личности появляются, так сказать, дважды. Он забыл прибавить: первый раз в виде трагедии, второй раз в виде фарса» (*Маркс К., Энгельс Ф.*

Восемнадцатое брюмера Луи Бонапарта / Сочинения. Т. 8. М.: Политиздат, 1957).

С. 62. *Сергей Сергеевич... Принадлежит, между прочим, к секте христианской науки...* — Христианская наука — парахристианское религиозное учение протестантского происхождения, основанное в 1866 г. Мэри Бейкер Эдди. Священными книгами христианской науки считаются Библия и «Наука о здоровье с ключом к Священному Писанию», написанная М. Б. Эдди. Сторонники христианской науки полагают, что благодаря молитве, знанию и пониманию можно достичь практически всего через посредство Бога: в частности, путем молитвы можно достичь исцеления от болезней. Приверженность С. С. Прокофьева взглядам христианской науки отмечают многие исследователи. (См., напр.: *Савкина Н. П.* С. С. Прокофьев и секта «Христианская наука» // Сергей Прокофьев. 1891–1991. Дневник, письма, беседы, воспоминания / Сост. М. Е. Тараканов. М.: Сов. композитор, 1991.)

...объясняться пришлось его жене. — Выдающийся русский композитор Сергей Сергеевич Прокофьев, который жил в эмиграции и совершил вместе с женой Линой поездку на родину в 1926–1927 гг., описал в своем дневнике 19 января 1926 года возвращение из Латвии и пересечение границы в Себеже, где таможенники заранее получили телеграмму «об имевшем быть проезде Прокофьева». Телеграмма задала «приятный тон осмотру багажа. Смотрели поверхностно, немножко перелистывали французские книги по музыке», но при этом, как подчеркивает Прокофьев, таможенники заставили их с женой «подписать бумажку о том, сколько каких носильных вещей мы везем с собой, причем они не могли понять, что такое пижама...» (Цит. по: *Прокофьев С. С.*

Сергей Прокофьев. Дневник: В 3 т. Paris: SPRKFV, 2002. Т. 2.) Жена С. С. Прокофьева, певица Лина Ивановна Прокофьева (урожденная Каролина Кодина-Любера, 1897–1989), которую муж называл Пташкой, была по происхождению испанкой. В 1948 г. репрессирована и сослана, сначала в Абезь (Коми АССР), затем в мордовские лагеря. Реабилитирована в 1956 г. С. С. Прокофьев, с 1941 г. живший отдельно от семьи (и без оформления развода вступивший в повторный брак), не предпринимал усилий для освобождения жены. В 1974 г. Лина Кодина при участии композитора Т. Н. Хренникова покинула СССР. Пронеся любовь к мужу через всю жизнь, за рубежом основала Фонд Прокофьева. Умерла в Лондоне. Судьба Лины Кодиной до сих пор привлекает внимание документалистов и музыковедов. Так, в 2013 г. в Великобритании опубликована книга Саймона Моррисона «Любовь и войны Лины Прокофьевой» (*Morrison S.* The Love and Wars of Lina Prokofiev: The Story of Lina and Sergei Prokofiev. Harvill Secker, 2013).

С. 67. *«И чей-нибудь уж близок час»* — цитата из стихотворения А. С. Пушкина «Брожу ли я вдоль улиц шумных...».

С. 70. *«Я буду писать музыку всегда, всегда, пока я буду жив. Если я потеряю обе руки, я возьму перо в зубы!»* — Эти слова из письма другу оказались своего рода пророчеством. Композитор словно предугадывал, что последние годы его жизни окажутся «годами борьбы между смертельными болезнями, разрушающими его тело, и его духовной стойкостью и мужеством» (*Дотлибов М.* Дмитрий Дмитриевич Шостакович и Германия // Журнал «Партнер». 2006. № 9).

С. 72. *Из ближайшего окружения маршала был арестован и расстрелян их общий друг, Николай*

Сергеевич Жиляев, выдающийся музыковед. — Жиляев Николай Сергеевич (1881–1938) — русский композитор, пианист, критик и педагог. В 1905–1909 гг. многие его сочинения публиковались в нотном издательстве Юргенсона (см. выше). В годы Гражданской войны работал в штабе М. Н. Тухачевского в должности библиографа. Современники отмечали обаяние его личности и широчайшую эрудицию. В 1938 г. Жиляев был обвинен в «создании террористической организации с целью убить товарища Сталина» и расстрелян. (См.: *Барсова И. А.* Николай Сергеевич Жиляев. Труды, дни и гибель. М.: Музыка, 2008. С. 529–531.)

С. 73. *«Иногда вовсе нет никакого правдоподобия»* — Гоголь Н. В. Указ. соч. С. 89.

С. 75. *Его Вторая симфония, кантата в честь десятой годовщины Великого Октября, была написана на совершенно неудобоваримый текст Александра Безыменского.* — Симфония № 2 си мажор, op. 14, созданная к десятой годовщине Октябрьской революции, имела подзаголовок «Октябрю». Впервые исполнена Ленинградским филармоническим оркестром и Академической хоровой капеллой под управлением Николая Малько 5 ноября 1927 г. В этом произведении хор скандирует текст А. И. Безыменского:

Мы шли, мы просили работы и хлеба,
Сердца были сжаты тисками тоски.
Заводские трубы тянулися к небу,
Как руки, бессильные сжать кулаки.
Страшно было имя наших тенет:
Молчанье, страданье, гнет.

Но громче орудий ворвались в молчанье
Слова нашей скорби, слова наших мук.
О Ленин! Ты выковал волю страданья,

Ты выковал волю мозолистых рук.
Мы поняли, Ленин, что наша судьба
Носит имя: борьба.

Борьба! Ты вела нас к последнему бою.
Борьба! Ты дала нам победу Труда.
И этой победы над гнетом и тьмою
Никто не отнимет у нас никогда.
Пусть каждый в борьбе будет молод и храбр:
Ведь имя победы — Октябрь!

Октябрь! — это солнца желанного вестник.
Октябрь! — это воля восставших веков.
Октябрь! — это труд, это радость и песня.
Октябрь! — это счастье полей и станков.
Вот знамя, вот имя живых поколений:
Октябрь, Коммуна и Ленин.

С. 78. *«Пикадилли», «Светлая лента», «Сплендид-палас»* — впоследствии ленинградские кинотеатры «Аврора», «Баррикада» и «Родина» соответственно.

Брамс, Иоганнес (1833–1897) — немецкий композитор, один из наиболее исполняемых на мировых концертных сценах. Во времена Д. Д. Шостаковича произведения Брамса широко исполняли дирижеры мирового уровня, включавшие в свои программы и музыку Дмитрия Дмитриевича: Б. Вальтер, А. Тосканини, Л. Стоковский и др.

С. 80. *...одних отправляли в лагеря... Его... бывшая возлюбленная.* — Речь идет о писательнице Галине Иосифовне Серебряковой (1905–1980). В молодости она училась на медицинском факультете МГУ, потом занималась журналистикой. Начинала карьеру оперной певицы. Была замужем за наркомом финансов Григорием Сокольниковым. Дважды подвергалась аресту и провела в заключении более 17 лет. В 1956 г. полностью реабилитирована и восстановлена в партии; возобновила литературную деятельность. Автор трилогии о Карле Марксе. Активно выступала против либеральных тенденций в советской литературе. На одном из собраний в Кремле Г. Серебрякова в присутствии Н. С. Хрущева и членов правительства начала рассказывать о тюремных пытках и расстегнула кофту, демонстрируя следы истязаний. В зале кто-то упал в обморок. После ее выступления к ней подошел Д. Д. Шостакович, которого она не видела двадцать лет. Оказалось, что в обморок упал именно он. По воспоминаниям Г. Серебряковой, «встреча была странной. Он там же, в Кремле, вынул свою записную книжку, показал там мой номер телефона, адрес... как доказательство, что он меня не забыл: „Видишь, я все уже узнал, записал, но у меня не хватило мужества увидеть тебя старой, больной. Мне страшно было тебя увидеть“». (Цит. по: *Хентова С. М.* Удивительный Шостакович. СПб.: Вариант, 1993. С. 156.)

«Забвенье, сон и отдых от забот», как писал Блок... — Цитируется стихотворение «Миры летят. Года летят. Пустая...» (1912).

С. 81. *Какой-то журналист — глупец? оптимист? сочувствующий? — описал Пятую как «деловой творческий ответ советского художника на справедливую критику».* — Принято считать, что эта характеристика Пятой симфонии принадлежит самому И. В. Сталину (см. напр.: Testimony. The Memoirs of Dmitri Shostakovich: As Related to and Edited by Solomon Volkov. Hamish Hamilton Ltd. London, 1979).

«Чепуха совершенная делается на свете» — *Гоголь Н. В.* Указ. соч. С. 89.

С. 87. *Бензедрин* — препарат, производный от амфетамина. В течение довольно долгого времени применялся для лечения астмы, использовался на некоторых авиалиниях, где пассажирам выдавали ингаляторы для нейтрализации полетного дискомфорта. Стимулирующий эффект препарата заключался в повышении концентрации внимания, активности и бодрости, снижении утомляемости и потребности в сне. Стойкое привыкание к препарату было выявлено значительно позже.

С. 90. *По следам своей поездки через всю страну Ильф и Петров написали, что Америка навевает на них скуку и тоску, хотя американцам нравится.* — Советские писатели Илья Ильф и Евгений Петров в конце 1935 — начале 1936 г. провели три с половиной месяца в США и дважды пересекли страну из конца в конец. По возвращении в СССР опубликовали увлекательную книгу очерков «Одноэтажная Америка», в которой отдается должное техническому прогрессу страны, достопримечательностям, деловым качествам американцев и вместе с тем упоминается, в частности, как «безысходна автомобильно-бензиновая тоска маленьких городков», а «Голливуд скучен, чертовски скучен». Книга была переведена на многие языки и вызвала волну интереса в США.

С. 91. *...в исполнении джульярдовцев...* — «Джульярд» (Julliard School) — частная консерватория, основанная в Нью-Йорке в начале XX в., одно из крупнейших и самых престижных американских высших учебных заведений в области музыки, танца и драматического искусства. Расположена в нью-йоркском Линкольн-центре.

Стоковский, Леопольд (1882–1977) — британский и американский дирижер польско-ирландского происхождения. С Филадельфийским оркестром осуществил первые студийные записи нескольких симфоний Д. Д. Шостаковича.

Примечания

Пануфник, Анджей (1914–1991) — польский композитор и дирижер, в 1954 г. эмигрировал в Великобританию.

Верджил (тж. Вирджил) *Томсон* (1896–1989) — американский композитор и музыковед: его «визитной карточкой» были т. н. музыкальные портреты — небольшие пьесы, характеризующие его коллег и знакомых. Сыгранное на конгрессе произведение В. Томсона «Пшеничные поля в полдень» подверглось суровой критике в отчетной статье Д. Д. Шостаковича как «построенное на двенадцатитоновой атональной основе, абсолютно лишенное художественного содержания и смысла», «пустая игра звуками, чрезвычайно неприятная для уха» (*Шостакович Д.* Путевые заметки // Советская музыка. 1949. № 5. С. 15–22. Союз композиторов СССР, Министерство культуры, Государственное музыкальное издательство, 1949). Следует, впрочем, допускать, что эта оценка вышла из-под пера «благонадежных» критиков, а Шостаковичу, как это нередко бывало, лишь дали подписать статью.

Сибелиус, Ян (1865–1957) — крупнейший финский композитор. В 1906–1907 гг. посетил Петербург и Москву, встречался с Н. Римским-Корсаковым и А. Глазуновым.

Хачатурян, Арам Ильич (1903–1978) — один из крупнейших советских композиторов, автор знаменитого «Танца с саблями», балетов «Спартак», «Гаянэ» и мн. др. произведений. Д. Д. Шостакович писал: «Велик вклад Арама Хачатуряна в музыку наших дней. Трудно переоценить значение его искусства для советской и мировой музыкальной культуры. Его имя завоевало широчайшее признание как у нас в стране, так и за рубежом; у него десятки учеников и последователей, развивающих те принципы, которым сам он всегда остается верен». (Цит. по: *Морозова Л. И.* Лермонтовская энциклопедия. М.: Сов. энциклопедия, 1981.)

С. 92. *Аарон Коплend* (тж. Копланд) (1900–1990) — американский композитор, дирижер и педагог. Родился в семье эмигрантов из Литвы. В 1928–1931 гг. вел т. н. Коплендовские концерты, на которых пропагандировал творчество новейших американских композиторов. В 1932–1933 гг. руководил Фестивалем современной музыки. На президентских выборах 1936 г. поддержал коммунистическую партию, не будучи коммунистом, и был взят на заметку ФБР, а в пятидесятые годы попал в «черный список» Голливуда.

Клиффорд Одетс (1906–1963) — американский драматург и сценарист левых взглядов. Пропагандировал в США систему Станиславского. В 1935 г. написал свою самую успешную пьесу «Проснись и пой!», которая до сих пор ставится на Бродвее. Одетс идеализировал Советское государство, в 1934 г. состоял членом компартии США.

Артур Миллер (1915–2005) — американский драматург и прозаик, автор известной пьесы «Смерть коммивояжера», отмеченной Пулитцеровской премией. В 1953 г. вышла драма «Суровое испытание», в которой проводились параллели с деятельностью пресловутой Комиссии сенатора Маккарти, что сделало Миллера фигурантом «черного списка» Голливуда. Правда, это не стало препятствием для присуждения пьесе в том же году двух литературных премий. С 1956 по 1961 г. А. Миллер состоял в браке с Мэрилин Монро.

Мейлер, Норман (1900–1990) — американский писатель, сценарист, журналист, режиссер. Наиболее известен его роман 1948 г. о Второй мировой войне

«Нагие и мертвые» (русское издание: *Мейлер Н.* «Нагие и мертвые» / Перев. с англ. И. Разумного, В. Михайлова, В. Гладышева. М.: Воениздат, 1976).

Арти Шоу (Артур Джейкоб Аршавский, 1910-2004) — американский джазовый кларнетист, дирижер, композитор и писатель, один из крупнейших музыкантов «эры свинга».

В пятницу вечером произнес краткую речь, в субботу вечером — продолжительную. — Полная документальная хроника этой речи Д. Д. Шостаковича с оригинальным звуком зафиксирована в документальном фильме С. Арановича и А. Сокурова «Альтовая соната» (1987).

С. 93. *Мурадели,* Вано Ильич (Мурадов Иван Ильич, 1908–1970) — советский композитор и дирижер, лауреат двух Сталинских премий второй степени (1946, 1951). Родился в армянской семье в городе Гори. В молодости был ревностным сталинистом, сменил имя на грузинское и модифицировал фамилию, чтобы приблизить ее по звучанию к фамилии Джугашвили. С 1939 по 1948 г. возглавлял Музыкальный фонд СССР при Союзе композиторов СССР (см. ниже), был членом президиума оргкомитета Союза композиторов СССР, с 1948 г. — член правления Союза композиторов СССР. Во время войны (1942–1944) — художественный руководитель Центрального ансамбля ВМФ СССР, с которым выступал на фронтах и флотах. Постановлением ЦК ВКП(б) от 10 февраля 1948 г. «Об опере „Великая дружба" В. Мурадели», наряду с С. С. Прокофьевым, Д. Д. Шостаковичем и рядом других композиторов, был причислен к формалистам, а его опера названа «порочным как в музыкальном, так и в сюжетном отношении, антихудожественным произведением» (Власть и художественная интеллигенция. Документы ЦК

РКП(б) — ВКП(б), ВЧК — ОГПУ — НКВД о культурной политике. 1917–1953 / Под ред. А. Н. Яковлева; Сост. А. Н. Артизов, О. В. Наумов. М.: Международный фонд «Демократия», 1999. С. 630).

С. 94. *Коричневая чума не миновала и Вагнера...* — Неотъемлемой частью мировоззрения Рихарда Вагнера (1813–1883) была юдофобия; иногда композитора относят к предшественникам антисемитизма XX века. Еще при его жизни антисемитские выступления Вагнера вызывали протесты. Так, его статья «Еврейство в музыке», опубликованная в 1850 г. под псевдонимом Вольнодумец, вызвала протесты со стороны профессоров Лейпцигской консерватории. В России в 2012 г. данная статья была внесена в Федеральный список экстремистских материалов (п. 1204).

С. 95. *Почти вся война прошла для них в Куйбышеве.* — Война застала Д. Д. Шостаковича в Ленинграде. Композитор стал проситься на фронт, подал заявление в народное ополчение, работал на строительстве оборонительных рубежей. Покинуть Ленинград Д. Д. Шостакович отказывался (не эвакуировался ни с консерваторией, где преподавал, ни с филармонией) вплоть до категорического распоряжения члена Военного совета фронта А. А. Кузнецова. 1 октября 1941 г. композитор вместе с семьей был вывезен из блокадного Ленинграда в Москву и через непродолжительное время отправлен в Куйбышев. В куйбышевской эвакуации он закончил Седьмую симфонию, посвятив ее Ленинграду (см. об этом: *Хентова С. М.* Удивительный Шостакович. СПб.: Вариант, 1993. С. 135–141).

С. 96. *Матушка Россия не берет насильно...* — Начало куплета цитируется в письме французского прозаика и общественного деятеля Проспера Мериме (1803–1870) Ивану Сергеевичу Тургеневу по поводу поэмы А. С. Пушкина «Медный всадник». Французский новеллист задается вопросом: «Каков точный смысл строки в начале поэмы, когда Петр говорит: „И запируем на просторе“, „Nous banqueterons dans l'espace“: „Мы будем угощать весь мир“ или „Мы поглотим вселенную, мы поглотим всех“?» И далее высказывает предположение: «Может быть, это поэтический перевод вашей солдатской песни... „Матушка Россия не берет насильно“ и т. д.?» (См.: *Мериме Проспер.* 71. И. С. Тургеневу. 2 декабря ⟨1860⟩ / Перев. с фр. В. Станевич // Мериме П. Собрание сочинений: В 6 т. Т. 6. М.: Правда, 1963. С. 155–157.) В одном из своих сборников эссе Дж. Барнс посвятил Просперу Мериме очерк «Человек, спасший французскую старину», где подчеркивается, что французский новеллист хорошо владел русским языком и «в зрелые годы, сделавшись подлинным русофилом, переводил Пушкина, Тургенева и Гоголя» (*Барнс Дж.* За окном / Перев. с англ. Е. Петровой. М.: Эксмо, 2013. С. 155). Попутно отметим, что И. С. Тургенев провел много лет в Мценском уезде (ныне Мценский район Орловской области), в селе Спасское-Лутовиново, где находилось родовое имение его матери.

С. 98. *Включал радио, и они втроем выполняли упражнения под задушевные команды диктора Гордеева.* — Уроки утренней гимнастики, разработанные Центральным НИИ физической культуры СССР, начали транслироваться в тридцатые годы. Вся страна узнавала голос диктора Николая Гордеева: «Выпрямитесь, голову повыше, плечи слегка назад, вдохните, на месте шагом марш...» В июле 1941 г. эти передачи были прерваны войной и возобновились в августе 1946-го. Бессменным аккомпаниатором Н. Гордеева был пианист Валентин Родин.

С. 103. *Музфонд* (Музыкальный фонд СССР) — общественная организация, созданная при Союзе композиторов СССР в 1939 г. в целях содействия творчеству композиторов и музыковедов посредством распределения путевок в дома творчества, оказания материальной помощи, помощи в переписке и размножении нотных материалов для композиторов и т. д. Так, в 1946–1947 гг. Музфонд выделил Д. Д. Шостаковичу более 230 тыс. руб. на создание будущей оперы (см. об этом: *Дмитриев А. К.* Не все сказали в юбилей // Дуэль № 3/452. 16.01.2007).

С. 104–105. *Его тоже заклеймили отъявленным формалистом за «увлечение сумбурными, невропатическими сочетаниями» и потакание вкусам узкой прослойки «специалистов и музыкальных гурманов».* — Цит. по: Власть и художественная интеллигенция. Документы ЦК РКП(б) — ВКП(б), ВЧК — ОГПУ — НКВД о культурной политике. 1917–1953 / Под ред. А. Н. Яковлева; Сост. А. Н. Артизов, О. В. Наумов. М.: Международный фонд «Демократия», 1999.

С. 105. *Неблагополучное состояние современной советской музыки докладчик связал с такими фигурами, как Шостакович, Прокофьев, Хачатурян, Мясковский и Шебалин. Их музыку он сравнил со звуками бормашины и «музыкальной душегубки».* — А. А. Жданов, главный идеолог партии, заявил в своем выступлении: «Надо сказать прямо, что целый ряд произведений современных композиторов... напоминает, простите за неизящное выражение, не то бормашину, не то музыкальную душегубку». (Цит. по: Совещание деятелей советской музыки в ЦК ВКП(б). М., 1948. С. 143.) Эта его «острота» была мгновенно растиражирована карикатуристами и журналистами. Сравнение музыкального творчества с одним из самых чудовищных изобретений, газовой камерой (в обиходной речи — «газовка» или «душегубка»), не могло оставить Шостаковича равнодушным. В остросатирическом сочинении «Антиформалистический раек» (1948–1968), написанном на собственный текст композитора, вся партия персонажа Двойкина основана на выступлениях Жданова, например:

> Музыка немелодичная, музыка неэстетичная,
> музыка негармоничная, музыка неизящная,
> это, это бормашина!
> или, или музыкальная душегубка!

При жизни композитора указанное произведение не исполнялось.

...композитора Юрия Левитина. — Левитин Юрий Абрамович (1912–1993) — советский композитор, автор ряда симфонических произведений, музыки к художественным и мультипликационным фильмам, большого числа эстрадных песен. В 1942 г. окончил консерваторию по классу композиции у Д. Д. Шостаковича.

С. 110. *Главрепертком* (Главный комитет по контролю за репертуаром при Народном комиссариате по просвещению РСФСР) — важное звено в системе ведомственной цензуры. В его функции входило рассмотрение всех драматургических, музыкальных и кинематографических произведений, предназначенных к публичному исполнению, составление и опубликование списков разрешенных и запрещенных произведений, контроль соблюдения установленных правил. Главрепертком был создан в 1923 г. при Главлите (Главном управлении по делам литературы и издательств) — органе государственного управления, осуществлявшем цензуру печатных произведений и защиту государственной тайны в средствах массовой информации в период с 1922 по 1991 г. Под контролем этого органа (в разные годы имевшего разные наименования) находились также радиовещание, выставки и публичные лекции. Главлит ограничивал и контролировал прием печатных изданий от населения букинистическими магазинами. С появлением этих структур в обиход вошло понятие «литовать», т. е. давать (а также получать) «лит» — разрешение на публикацию или исполнение. О деятельности цензоров Главлита сохранились свидетельства в художественной литературе, например:

Весь в поту, статейки правит,
Водит носом взад-вперед:
То убавит, то прибавит,
То свое словечко вставит,
То чужое зачеркнет.
То его отметит птичкой,
Сам себе и Глав и Лит,
То возьмет его в кавычки,
То опять же оголит.

(Цит по: *Твардовский А. Т.* Теркин на том свете // Поэмы. М.: Книжная палата, 1988.)

С. 111. *А сами тираны, эти повелители дирижерской палочки, упиваются своим хамством, как будто оркестр только тогда хорошо играет, когда его погоняют кнутом издевок и унижений.* — В среде музыкантов по настоящее время бытуют некоторые бесцеремонно-язвительные высказывания, услышанные от дирижеров симфонических оркестров, например: а) «Женский хор! Спойте вместе со своими мозгами»; б) «Шостакович не был боксером, но за такую игру он бы воскрес и набил вам морду!»; в) «Альты, куда вы лезете? И ладно бы что-то приличное лезло, а то фа-диез!»; г) «Придете домой —

передайте мои соболезнования вашей жене. Как можно спать с таким неритмичным человеком?»; д) «У вас очень красивые, сильные руки. Положите инструмент и задушите себя ими, не глумитесь над музыкой!»; е) «Не надо так терзать арфу и путать ее с пьяным мужем!»; ж) «Вам бы вместо саксофона — бензопилу „Дружба“ в руки. Звук тот же, а денег больше!»; з) «Вы не боитесь выходить на второе отделение? Скажите спасибо, что в консерваторию ходят интеллигенты. А то пролетарии набили бы всем вам морду за такую игру!»; и) «Я обещаю вам трудоустройство в подземном переходе» и т. д.

Тосканини рубил музыку, как винегрет, да еще поливал отвратным соусом. Это не на шутку злило. — Отношение Д. Д. Шостаковича к Артуро Тосканини было, по-видимому, неоднозначным. Когда встал вопрос об исполнении Седьмой симфонии в США, Шостакович получил телеграмму от Тосканини и отдал ему предпочтение перед столь же именитыми конкурентами, признав тем самым незаурядные творческие достоинства дирижера. Наряду с этим композитор уважал и гражданскую позицию Тосканини, который не подчинялся произволу и ненавидел фашизм. Однако Д. Д. Шостакович не мог не знать и о чрезвычайной жесткости Тосканини: тот действительно был известен, как обтекаемо пишут музыковеды, «своей обычной неумолимой требовательностью» по отношению к оркестрантам. (См.: *Хентова С. М.* Шостакович в Петрограде-Ленинграде. Л.: Лениздат, 1979. С. 230.)

С. 114. «*Россия — родина слонов*» (в другой версии «СССР — родина слонов») — крылатая фраза из ныне утратившего популярность анекдота, ироническое указание на приоритет России во всех без исключения сферах жизни, науки и техники. Возникла по образцу таких публицистических штампов, как «Россия — родина авиации», «Россия — родина радио» и др., как реакция на проводимую с 1946 г. кампанию за приоритет отечественной науки.

С. 119. *А «Венецианский купец», где Шекспир прямо говорит: тот, у кого нет музыки в душе, способен на грабеж, измену, хитрость, и верить такому нельзя.* — Имеется в виду эпизод из акта V, сц. 1. Перевод Т. Щепкиной-Куперник:

> Тот, у кого нет музыки в душе,
> Кого не тронут сладкие созвучья,
> Способен на грабеж, измену, хитрость...
> Не верь такому.

(Цит. по: *Шекспир У.* Полн. собр. соч.: В 8 т. Т. 3. М.: Искусство, 1958. С. 300.)

Шекспир держит зеркало перед природой... — В трагедии У. Шекспира «Гамлет» говорится, что назначение «лицедейства, чья цель как прежде, так и теперь была и есть — держать как бы зеркало перед природой...» (акт III, сц. 2. Перев. М. Лозинского // Там же. Т. 6. С. 75).

С. 120. *...«надо не только любить советскую власть, надо сделать так, чтобы и она вас полюбила»* — цитата из фельетона Ильи Ильфа и Евгения Петрова «Любовь должна быть обоюдной», напечатанного в газете «Правда» 19 апреля 1934 г.

С. 126. *Власть положила глаз на Александра Давиденко...* — Давиденко Александр Александрович (1899–1934) — русский пролетарский композитор. В 1929–1932 гг. — член Российской ассоциации пролетарских музыкантов (РАПМ), редактор журнала «За пролетарскую музыку». Сочиненная А. Давиденко пионерская песня «Маленький барабанщик», или «Юный барабанщик» («Мы шли под грохот канонады,

/ Мы смерти смотрели в лицо...»), на слова М. Светлова (перевод с немецкого) вошла в репертуар детских хоров и широко исполнялась до самого конца советской власти и пионерского движения; многими советскими слушателями воспринималась как народная. Другая песня А. Давиденко, «Нас побить, побить хотели» (на слова Демьяна Бедного), была посвящена малоизвестному сегодня конфликту на КВЖД в 1929 г. В ней, в частности, пелось:

Нас побить, побить хотели,
Нас побить пыталися,
А мы тоже не сидели,
Того дожидалися!
⟨...⟩
Наш ответ Чжан Сюэ-Лянам —
Схватка молодецкая,
А рабочим и крестьянам —
Дружба всесоветская!

(1929)

Эта песня так часто звучала по радио и с эстрады, что спровоцировала различного рода юмористические отклики, например:

Два певца на сцене пели:
«Нас побить, побить хотели».
Так они противно ныли,
Что и вправду их побили.

(Из записных книжек И. Ильфа.
1925–1937)

Д. Д. Шостакович, ценивший творчество А. Давиденко, писал: «В искусстве Давиденко нет аккуратно выписанных деталей, как нет и изображения отдельных людей и характеров или же раскрытия глубоко личных, интимных переживаний; главное в нем другое — образ народной массы, ее устремленность, подъем, порыв...» (Цит. по: Творческие портреты композиторов. М.: Музыка, 1990). Композитор скоропостижно скончался сразу после первомайской демонстрации, в которой принимал активное участие. Над его могилой хор из студентов Московской консерватории и участников самодеятельности исполнял его песни.

РАПМ — Российская ассоциация пролетарских музыкантов, музыкально-общественная организация, существовавшая с 1923 по 1932 г. РАПМ видела свою цель в создании революционного музыкального репертуара. Отличалась нетерпимостью ко всему, что считала непролетарским. Многие произведения музыкальной классики объявлялись идейно чуждыми пролетариату. Массовая песня рассматривалась как центральное звено творчества композиторов. В 1932 г., после учреждения Союза советских композиторов, РАПМ, как и все остальные музыкальные организации, была распущена.

С. 131. *Тот, по чьей милости он сгорал со стыда, звался Набоковым. Mister Николай Набоков. Сам в некотором роде композитор.* — Набоков Николай Дмитриевич (1903–1978) — русский и американский композитор, музыковед, преподаватель, деятель культуры. Двоюродный брат писателя Владимира Набокова. В 1919 г. Н. Д. Набоков с матерью и братьями эмигрировал из России. Жил в Германии, Франции, США. В Париже познакомился с Дягилевым и стал писать музыку для Русских сезонов. Автор ряда балетов и двух опер. Генеральный секретарь конгресса за свободу культуры с 1951 г. до фактического роспуска конгресса в 1967 г.

С. 142. *Мальро*, Андре (1901–1976) — французский писатель, культуролог, герой французского Сопротивления, министр культуры в правительстве де Голля (1958–1969). Не разделяя идеи марксизма, активно выступал против наступления фашизма. Весной 1936 г. посетил СССР. После войны занимался преимущественно общественной деятельностью как соратник генерала де Голля, отвечавший в его партии за идеологию и пропаганду. Призывал к международной изоляции СССР, был одним из теоретиков холодной войны.

С. 144. *Чего они хотят добиться, говоря словами Пастернака, так это «полной гибели, всерьез».* — Цитируется стихотворение Б. Пастернака «О, знал бы я, что так бывает...» (1932).

С. 147. *Мравинский*, Евгений Александрович (1903–1988) — советский дирижер, лауреат Ленинской премии. Родился в дворянской семье. Сводной сестрой отца Е. А. Мравинского была Александра Коллонтай; среди родственников — поэт Игорь Северянин. В 1939 г. первым исполнил Шестую симфонию Шостаковича; сделал ряд записей его произведений. Д. Д. Шостакович высоко ценил Е. А. Мравинского. Будучи человеком религиозных убеждений, Мравинский оставался членом партии. Его отношения с Шостаковичем ухудшились в последние годы жизни композитора.

С. 153. *...тициановским «Динарием кесаря».* — «Динарий кесаря» — картина Тициана, написанная около 1516 г. На ней изображены Христос, олицетворяющий благородно-возвышенное начало, и смуглый, хитроватый фарисей-мытарь с монетой (динарием) в руке и поблескивающей в ухе серьгой. Его образ — воплощение низменной, грубой реальности.

Бедняга Анатолий Башашкин. Получил ярлык «ти́товского прихвостня». — Башашкин Анатолий Васильевич (1924–2002) — выдающийся советский спортсмен, один из сильнейших центральных защитников в истории советского футбола. В 1952 г. в игре со сборной Югославии невольно стал виновником проигрыша своей команды. Анатолий Башашкин был очень популярен в народе в 50–60-е гг. Он практически всегда, во всех командах, играл под номером три. Этот факт вошел в народную мифологию: популярной в те годы стала разговорная формула «Башашкиным будешь?», которая соответствовала вопросу «Третьим будешь?». Талантливый футболист упоминается как Бабашкин в рассказе Эдуарда Лимонова «Когда поэты были молодыми» (1985), действие которого происходит в 1969 году. Вопреки утверждению о том, что «футбольная эпистолярия Шостаковича в 1957 году ограничилась одним письмом» — А. М. Клячкину (*Хентова С. М.* Удивительный Шостакович. СПб.: Вариант, 1993. С. 266), известно также письмо композитора его другу И. Д. Гликману, датированное 10 декабря 1957 г. В нем Д. Д. Шостакович пишет, что не может забыть, как «тренер и политрук футбольной команды» В. Бобров «обозвал тов. Башашкина ти́товским прихвостнем, когда из-за ошибки тов. Башашкина югославы забили гол в наши ворота... Башашкин еще с 1952-го года уволен. Он был лишь хорошим центром защиты. Но политически подкован был недостаточно хорошо» (Цит. по: Письма к другу. Дмитрий Шостакович — Исааку Гликману. СПб.: DSCH, Композитор, 1993).

...написал ораторию «Песнь о лесах» на текст Долматовского... — Долматовский Евгений Аронович (1915–1994) — советский поэт, автор текстов большого числа популярных песен («Венок Дуная», «Если бы парни всей земли», «Комсомольцы-добровольцы», «Любимый город», «За фабричной заставой» и мн. др.). Отмечен высокими наградами Советского государства. Создание оратории «Песнь о

лесах» стало откликом на правительственное постановление от 20 октября 1948 г. «О плане полезащитных лесонасаждений, внедрении травопольных севооборотов, строительстве прудов и водоемов для обеспечения высоких и устойчивых урожаев в степных и лесостепных районах европейской части СССР», подписанное И. В. Сталиным. В тексте оратории «Песнь о лесах» (1949), в частности, говорилось:

Коварен был июльский зной,
Поля просили небеса:
«Чтоб новый мир пришел весной,
Оденем Родину в леса,
Оденем Родину в леса!»

Светла, как первая любовь,
Березок юная краса.
Посеем рожь под сень дубов,
Оденем Родину в леса,
Оденем Родину в леса!
⟨...⟩
По всем степям, вдоль русских рек
Пройдет лесная полоса.
Приблизим коммунизма век —
Оденем Родину в леса,
Оденем Родину в леса!
⟨...⟩
Яблони, яблони,
Вырастайте храбрыми!
Вас ни лед не возьмет,
Ни мороз трескучий!
⟨...⟩
На полях колхозов
Встали по квадратам
Стройные березы —
Родины солдаты.

С. 154. *Великий Садовод* — образ великого садовода (или великого садовника) был широко распространен в риторике 1930-х гг. Превращение страны в цветущий сад под руководством Сталина-садовода стало темой многих произведений. Так, азербайджанский поэт Д. Сулейманов в стихотворении «Великий садовод» писал: «Как сад, держава расцвела, — хвала, великий садовод!» Поэт В. Лебедев-Кумач посвятил Сталину стихотворение «Садовник», где говорится: «Вся страна весенним утром, как огромный сад, стоит, и глядит садовник мудрый на работу рук своих». М. Исаковский писал о том, как Сталин «растит отвагу и радость в саду заповедном своем», и далее призывал: «Споем же, товарищи, песню о самом большом садоводе, о самом любимом и мудром, — о Сталине песню споем!» Наряду с этим изображавший Сталина актер Михаил Геловани в фильме «Падение Берлина» работал в саду. Черты чудесной страны-сада были запечатлены в картинах сталинской эпохи, мозаике, керамике и лепке на стенах станций метро и на фасадах домов, воздвигнутых при жизни Сталина в разных городах страны (см. об этом: *Емельянов Ю. В.* Сталин: Путь к власти. М.: Вече, 2003).

С. 155. *Людовик Четырнадцатый у себя в Версале, в присутствии всего двора, объявил как о чем-то непреложном: «Мсье Буало понимает в поэзии больше меня».* — Аллюзия к эпизоду, описанному в книге Ф. И. Чуева:

«За одну из своих симфоний был выдвинут на соискание Сталинской премии по предложению Жданова композитор Голубев. Все знали, чей он протеже, и не сомневались, что премию он получит, к тому же первой степени. Когда списки лауреатов принесли на подпись Сталину, он спросил:

— Голубев... Симфония... Все — за, один — против. А кто этот один?

— Шостакович, товарищ Сталин.

— Товарищ Шостакович понимает в музыке больше нас, — сказал Сталин и вычеркнул Голубева из списков лауреатов». (Цит. по: *Чуев Ф. И.* Ветер истории: воспоминания о Сталине. М.: Ковчег, 1998.)

С. 156. *...еще любопытная история — про Тинякова.* — Тиняков (псевдоним Одинокий) Александр Иванович (1886–1934) родился в Мценском уезде. Окончив гимназию, переехал в Москву, затем в Петербург. Был вхож в литературный салон Мережковского и Гиппиус, посещал артистическое кафе «Бродячая собака». В 1916 г. стало известно, что Тиняков, работая в либеральных газетах, одновременно тайно сотрудничал с черносотенной газетой «Земщина» и являлся членом Союза Михаила Архангела. Вследствие этого практически весь литературный мир Петербурга от него отвернулся. В 1926 г. поэт сделался профессиональным нищим. Некоторые исследователи склонны считать, что Тиняков, будучи сотрудником ВЧК, явился виновником ареста Н. Гумилева. В августе 1930 г. Тиняков был арестован и приговорен к трем годам лагерей. Срок отбывал на Соловках, позже был сослан в Саратов. Умер в Ленинграде в больнице Памяти жертв революции (см. об этом: *Сенчин Р.* Одинокий // Литературная Россия. 2011. № 39). Его историю Д. Д. Шостакович узнал от М. М. Зощенко, который был лично знаком с Тиняковым и получил в подарок от автора экземпляр его последней книги — именно той, где центральной темой был голод поэта. Тиняков прямо заявлял: «И любой поступок гнусный / Совершу за пищу я», а также обещал «пятки вылизать врагу» ради еды. Шостаковича, по его признанию, окружало множество таких Тиняковых, которым было все равно, кого прославлять, а кого обличать; они приблизили цинизм современной эпохи (см. Testimony. The Memoirs of Dmitri Shostakovich: As Related to and Edited by Solomon Volkov. Hamish Hamilton Ltd. London, 1979. P. 230–232).

С. 158. *В конце концов он заверил Трошина, что безотлагательно приобретет самый лучший портрет Великого Вождя. ⟨...⟩ Ученику периодически давалось задание конспектировать напыщенные мудрствования Сталина. К счастью, эту обязанность взял на себя Гликман...* — И. Д. Гликман гостил в доме Д. Д. Шостаковича во время первого визита «тов. Трошина» и засвидетельствовал недоумение инструктора по поводу отсутствия сталинского портрета: «Время было тяжелое. Удивление прозвучало как упрек. Дмитрий Дмитриевич смутился, начал нервно ходить по комнате и выпалил, что он непременно приобретет портрет „товарища Сталина". (Правда, обещание осталось невыполненным, так как вскоре мода на сталинские портреты прошла)». (Цит. по: Письма к другу. Дмитрий Шостакович — Исааку Гликману. М.; СПб., 1993. С. 98.)

С. 159. *Потом в учебной программе появились и другие основополагающие труды, как то: Маленков Г. М., «Типическое в искусстве как исключительное», доклад на XIX съезде КПСС.* — Доклад Г. М. Маленкова на XIX съезде КПСС, безупречный по стилю и по уровню мысли, имел огромный общественный резонанс. Лишь единицы понимали, что текст этого выступления дословно воспроизводит статью бывшего белоэмигранта, дворянина, критика Дмитрия Петровича Святополка-Мирского (1890–1939) «Реализм», опубликованную в старой литературной энциклопедии. (См., напр.: *Абрам Терц* (А. Д. Синявский). Спокойной ночи. М.: Захаров, 1998. С. 271–272). Святополк-Мирский, в частности, высоко ценил творчество Н. С. Лескова, автора повести «Леди Макбет Мценского уезда». В 1932 г. при содействии Максима Горького Святополк-Мирский вернулся на родину, но в 1937 г. был арестован. Погиб в лагере под Магаданом.

С. 162. *Бородинцы* — квартет имени Бородина, один из наиболее значительных российских струнных квартетов, а также один из старейших непрерывно выступающих камерных ансамблей мира. Основан в 1944 г. В 1955 г. квартету присвоено имя А. П. Бородина, чьи квартеты заложили основу русской традиции в этом музыкальном жанре.

...исполнить перед дирекцией музыкальных учреждений при Минкульте и получить «лит». — См. примеч. к с. 110.

С. 164. *Догадываясь, что Трошин не знаком с романсом Даргомыжского, он сурово ответил: / — Ведь я червяк в сравненьи с ним! В сравненье в ним, с лицом таким.* — Цитируется сатирическое стихотворение французского поэта П.-Ж. Беранже (1780–1857) в переводе В. С. Курочкина (1831–1875) «Знатный приятель» («Сенатор»), где рефреном звучат слова:

Ведь я червяк в сравненьи с ним!
В сравненьи с ним,
С лицом таким —
С его сиятельством самим!

Александр Сергеевич Даргомыжский (1813–1869), который написал музыку к этому стихотворению, назвал свой романс «Червяк».

С. 167. *К Сергею Сергеевичу он часто обращался мыслями в эвакуации: как тот на барахолке в Алма-Ате...* — Во время войны С. С. Прокофьев находился в эвакуации в Нальчике, Тбилиси, Алма-Ате, Перми, продолжая интенсивную творческую работу. Осенью 1943 г. вернулся в Москву.

С. 169. *...насчет «абстракционистов и педерастов»...* — 1 декабря 1962 г. в Москве в Манеже состоялась выставка живописи и скульптуры художников-авангардистов под названием «Новая реальность», приуроченная к 30-летнему юбилею Московского отделения Союза художников СССР. Выставку посетил глава Коммунистической партии и Советского государства Никита Сергеевич Хрущев. Увиденные на выставке произведения авангардного искусства повергли Хрущева в шок, и он, потрясая кулаком, открыто высказал все, что думал о художниках, об их произведениях и даже о современной музыке (см. ниже). Ключевой стала его фраза: «Это педерастия в искусстве!» (Здесь и ниже цит. по: Стенограмма присутствия Н. С. Хрущева на выставке художников-авангардистов в Манеже.)

Как Жданов некогда заклеймил Ахматову «не то блудницей, не то монахиней»... — Жданов в своей речи процитировал несколько строк из стихов А. Ахматовой и заявил: «Не то монахиня, не то блудница, а вернее, блудница и монахиня, у которой блуд смешан с молитвой» (Доклад т. Жданова о журналах «Звезда» и «Ленинград» // Сокращенная и обобщенная стенограмма докладов т. Жданова на собрании партийного актива и на собрании писателей в Ленинграде. ОГИЗ, Госполитиздат, 1946).

С. 170. *...Людмила Лядова, которая стряпала популярные песенки...* — Лядова Людмила Алексеевна (р. 1925) — советский композитор, эстрадная певица, педагог. Автор более тысячи песен, преимущественно оптимистических.

С. 173. *— Как вы относитесь к Пуччини? / — Терпеть не могу, — ответил Стравинский.* — Ср. с диаметрально противоположной оценкой музыки и личности Дж. Пуччини, содержащейся в воспоминаниях самого И. Стравинского: «Когда после „Весны священной“ я лежал в тифу... Пуччини навестил меня одним из первых... Я беседовал с Дебюсси о музыке Пуччини и помню... что Дебюсси относился к ней с уважением, как и я сам. Пуччини был человеком, способным испытывать привязанность, приветливым и простым в обращении». (Цит. по: *Стравинский И.* Воспоминания, размышления, комментарии / Перев. с англ. В. Линник. Л.: Сов. композитор, 1971. С. 145.)

С. 175. *Пуленк*, Франсис (1899–1963) — французский композитор, пианист, критик. Испытал влияние И. Ф. Стравинского, С. С. Прокофьева, выступал с докладами о творчестве М. П. Мусоргского. В годы Второй мировой войны участвовал в движении Сопротивления.

С. 176. *Форе*, Габриель (1845–1924) — французский композитор, педагог, дирижер. Ученик и помощник К. Сен-Санса. Форе писал практически во всех современных ему жанрах музыки. К концу жизни потерял слух и жил на скромную пенсию, посвятив себя исключительно композиции.

МАЛЕГОТ (Малый академический ленинградский государственный оперный театр) — первоначально и в настоящее время — Михайловский театр в Санкт-Петербурге. По меньшей мере три мировые премьеры вписали МАЛЕГОТ в историю мирового оперного искусства: «Нос» (1930) и «Леди Макбет Мценского уезда» (1934) Д. Д. Шостаковича, а также, в сокращенном варианте, «Война и мир» С. С. Прокофьева (1946).

С. 177. *Кабалевский*, Дмитрий Борисович (1904–1987) — видный советский композитор, пианист, педагог, лауреат трех Сталинских и одной Ленинской премий. После постановления ЦК КПСС 1948 г.

«Об опере „Великая дружба“ В. Мурадели» принимал самое активное участие в критике «формалистов».

Чулаки, Михаил Иванович (1908–1989) — советский композитор, музыкально-общественный деятель, педагог, лауреат трех Сталинских премий второй степени. Занимал ряд ответственных должностей в Министерстве культуры и Союзе композиторов СССР.

Хубов, Георгий Никитич (1902–1981) — музыкально-общественный деятель, редактор, автор ряда монографий и сборников статей. В 1946–1952 гг. — консультант по вопросам художественного вещания в аппарате ЦК КПСС. Секретарь правления Союза композиторов СССР (1952–1957).

Целиковский, Василий Васильевич (1900–1958) — театральный деятель, педагог. Заведующий музыкальной частью Большого театра. Один из создателей киргизского музыкального театра.

С. 181. *В то время Нита была в Армении с А. и внезапно слегла.* — Нина Васильевна Шостакович (Варзар) была по образованию астрофизиком, человеком независимым и волевым. Училась у академика Иоффе вместе с будущим академиком Л. Ландау. В браке у обоих супругов бывали увлечения на стороне, и однажды Д. Д. и Н. В. Шостакович даже развелись, но потом вновь официально оформили отношения. После войны Нина Васильевна все больше времени проводила в Ереване, где работала вместе с влюбленным в нее однокурсником.

С. 183. *...современная безделица в духе Поля де Кока...* — Шарль Поль де Кок (1793–1871) — плодовитый французский писатель, чье имя долгое время ассоциировалось с фривольной литературой. Произведения де Кока пользовались огромной популярностью в России: В. Г. Белинский и Н. А. Некрасов писали рецензии на его романы, Ф. М. Достоевский неоднократно упоминал Поля де Кока в своих сочинениях и использовал сюжет его романа «Муж, жена и любовник» в повести «Вечный муж». Героиня романа И. С. Тургенева «Дворянское гнездо» Варвара Павловна Лаврецкая всем писателям предпочитала Поля де Кока. В 1900 г. в Санкт-Петербурге было издано полное собрание французского романиста в 12 томах.

С. 187. *...возглавляя жюри конкурса на звание лучшего сводного хора в рамках Всемирного фестиваля молодежи и студентов, он приметил Маргариту.* — Д. Д. Шостакович женился на Маргарите Кайновой в 1956 г., сделав ей предложение на второй день знакомства. Композитор мирился с ее равнодушием к музыке, но не мог вынести бестактности молодой жены и ее постоянных конфликтов с его взрослыми уже детьми. Брак продлился три года.

С. 188. *Если генерал оспаривал судейские возгласы «аут» или «линия», он, упиваясь своей временной властью, неизменно осаживал главного чекиста фразой: «С судьей не спорят!» Это были крайне редкие разговоры с Властью, которые доставляли ему истинное наслаждение.* — Эпизод судейства основан на рассказе Максима Шостаковича и освещался в литературе. (См., напр.: *Михеева Л.* Жизнь Дмитрия Шостаковича. М.: Терра, 1997. С. 174; *Шостакович Г., Шостакович М.* Наш отец DSch. Воспоминания, записанные о. М. Ардовым. М.: Захаров, 2003. С. 43–44.)

С. 189. *...когда напечатали «Один день Ивана Денисовича»...* — «Один день Ивана Денисовича» (первоначальное авторское название — «Щ-854») — первое опубликованное произведение А. И. Солженицына (Новый мир. 1962, ноябрь), которое принесло ему мировую известность. Рассказывает об одном дне из жизни советского заключенного, русского крестьянина и солдата Ивана Денисовича Шухова.

С. 207. *Пользуется закрытыми распределителями для ответственных работников.* — В эпоху тотального дефицита «закрытыми распределителями» в обиходе назывались магазины продуктовых (в основном) товаров высокого качества, обслуживавшие номенклатурных работников. Об этом сохранились свидетельства в художественной литературе, например:

«— Мы в магазинах не покупаем, — с гордостью сказала Нина. — У нас есть закрытый распределитель.

И тогда я, дура, узнала нечто совершенно новенькое для себя. 〈...〉 Оказывается, большое начальство, вроде Нининого папы, вообще в магазинах ничего не покупает. Магазины с пустыми полками — для народа, для простых людей, для трудящихся. А для коммунистов, которые занимают высокое положение и руководят этим самым народом, имеются специальные магазины, куда посторонним вход воспрещен. Там у дверей стоит милиционер и проверяет документы» (*Севела Э.* Зуб мудрости. М.: ZebraE, 2004. С. 29). По принципу, сходному с описанным, действовали специализированные магазины для моряков загранплавания и для специалистов, работавших за рубежом, а также магазины и столовые для сотрудников крупных промышленных предприятий.

С. 211. *Он подписал грязное открытое письмо против Солженицына...* — Под открытым письмом против А. И. Солженицына подписи Д. Д. Шостаковича не было. Вместе с тем против А. И. Солженицына с открытым посланием выступил, например, американский композитор и певец Дин Рид, писавший: «Вы заклеймили Советский Союз как „глубоко больное общество, пораженное ненавистью и несправедливостью“. Вы говорите, что советское правительство „не могло бы жить без врагов, и вся атмосфера пропитана ненавистью и еще раз ненавистью, не останавливающейся даже перед расовой ненавистью“. Вы, должно быть, говорите о моей родине, а не о своей! Ведь именно Америка, а не Советский Союз ведет войны и создает напряженную обстановку возможных войн с тем, чтобы давать возможность своей экономике действовать, а нашим диктаторам, военно-промышленному комплексу наживать еще больше богатства и власти на крови вьетнамского народа, наших собственных американских солдат и всех свободолюбивых народов мира! Больное общество у меня на родине, а не у вас, г-н Солженицын!» (Цит. по: Огонек. 1971. № 5 (2274).)

С. 219–220. *Он проинструктировал альтиста Федора Дружинина, как надо играть первую часть Пятнадцатого квартета: «Пусть будет скучно, пусть мухи дохнут на лету, пусть публика, махнув рукой, выходит из зала».* — Цит. по: *Дружинин Ф. С.* Квартеты Шостаковича глазами исполнителя // Воспоминания. Страницы жизни и творчества. М.: Греко-латинский кабинет Ю. А. Шичалина, 2001. Федор Серафимович Дружинин (1932–2007) — педагог, заведующий кафедрой альта и арфы Московской консерватории. Творческое общение связывало Ф. С. Дружинина с крупными музыкантами и композиторами. Д. Д. Шостакович посвятил Ф. С. Дружинину свое последнее сочинение, Сонату для альта и фортепиано.

С. 221. *Например, в год своего вступления в партию он написал Восьмой квартет.* — По поводу струнного квартета № 8 Д. Д. Шостакович сообщил своему другу И. Д. Гликману 19 июля 1960 г. из Жуковки: «...написал никому не нужный и идейно порочный квартет. Я размышлял о том, что если я когда-нибудь помру, то вряд ли кто напишет произведение, посвященное моей памяти. Поэтому я сам решил написать таковое. Можно было бы на обложке так и написать: „Посвящается памяти автора этого квартета“. Основная тема квартета — ноты D.Es.C.H, то есть мои инициалы (Д. Ш.). В квартете использованы темы моих сочинений и революционная песня „Замучен тяжелой неволей“». Среди других тем композитор упоминает траурный марш из «Гибели богов» Вагнера.

С. 226. *«Муж умер, и никого у меня не осталось». А посему он раз за разом «снимал трубочку».* — По свидетельству Максима Шостаковича, его отец «терпеть не мог этой фразы про „трубочку“, а слышать это ему приходилось регулярно. Очень многие просители ошибочно полагали, что при своей популярности Шостакович — человек всесильный. Дескать, достаточно ему попросить о чем-нибудь высокое начальство — и любое дело разрешится». (Цит. по: *Ардов М.* Великая душа. Воспоминания о Дмитрии Шостаковиче. М.: Б.-С.-Г.-Пресс, 2008.)

С. 231. *...труд Элизабет Уилсон «Shostakovich: A Life Remembered»...* — Русское издание: *Уилсон Э.* Жизнь Шостаковича, рассказанная современниками / Перев. с англ. О. Манулкиной. СПб.: Музыка, 2006.

Елена Петрова